Tomber à la retraite

NATHALIE
Bachand

ANNIE
Boivin

JOSÉE
Blondin

DENIS
Preston

Tomber
à la
retraite

Une planification
complète

Les Éditions
LOGIQUES
Une compagnie de Quebecor Media

2e ÉDITION

Catalogage avant publication de Bibliothèque et Archives nationales du Québec et Bibliothèque et Archives Canada

Vedette principale au titre :

    Tomber à la retraite : une planification complète
    2e éd. rev. et augm.
    Comprend des réf. bibliogr. et un index.
    ISBN 978-2-89644-013-9
      1. Retraite - Planification. 2. Retraités - Finances personnelles. 3. Retraite - Aspect psychologique. 4. Planification financière personnelle. I. Boivin, Annie.

HQ1062.T65 2011   646.7'9   C2011-940175-4

Édition : Julie Simard
Révision linguistique : Annie Goulet
Correction d'épreuves : Céline Bouchard
Couverture et grille graphique intérieure : Axel Pérez de León
Mise en pages : Axel Pérez de León, Ann-Sophie Caouette, Hamid Aittouares
Photo des auteurs : Groupe Librex

Remerciements
Nous reconnaissons l'aide financière du gouvernement du Canada par l'entremise du Fonds du livre du Canada pour nos activités d'édition.
Gouvernement du Québec – Programme de crédit d'impôt pour l'édition de livres – gestion SODEC.

Les Éditions Logiques
Groupe Librex inc.
Une compagnie de Quebecor Media
La Tourelle
1055, boul. René-Lévesque Est
Bureau 800
Montréal (Québec) H2L 4S5
Tél. : 514 849-5259
Téléc. : 514 849-1388
www.edlogiques.com

Dépôt légal – Bibliothèque et Archives nationales du Québec et Bibliothèque et Archives Canada, 2010

ISBN 978-2-89644-013-9

Distribution au Canada
Messageries ADP
2315, rue de la Province
Longueuil (Québec) J4G 1G4
Tél. : 450 640-1234
Sans frais : 1 800 771-3022
www.messageries-adp.com

Diffusion hors Canada
Interforum
Immeuble Paryseine
3, allée de la Seine
F-94854 Ivry-sur-Seine Cedex
Tél. : 33 (0) 1 49 59 10 10
www.interforum.fr

À la douce mémoire de mon papa, qui n'est jamais tombé à la retraite... Annie

À mes parents, pour tout... Nathalie

À tous ceux qui ont eu la patience de répondre à mes nombreux pourquoi, comment, etc. Denis

À mes parents et beaux-parents, qui ont été une source d'inspiration, et à tous ceux qui m'ont épaulée dans cette aventure. Josée

À tous nos clients, collègues et conseillers qui nous ont inspirés...

Remerciements

Nous tenons à remercier plus particulièrement... nos conjoints, Sylvain Joly, Sylvain Bergeron, Martin Caron et Josée Fournier ; nos enfants adorés, Sandrine, Justin, Amélie, Maude, Béatrice et Zakary ; nos parents et beaux-parents, ainsi que nos collègues et amis, dont Alain Folco, Jean Labrosse, Werner Imboden, Me Guylaine Lafleur, Louise Lamoureux, Claudine Latour et Antoine Viau, pour leurs nombreux conseils, qui ont très certainement enrichi nos propos.

Un merci tout spécial à Annie pour cette superbe aventure... *Nathalie, Josée et Denis*.

Table des matières

Avis aux lecteurs

Le livre *Tomber à la retraite* ne constitue pas un avis juridique ou fiscal. Il ne doit donc pas remplacer l'avis de conseillers professionnels.

Les circonstances particulières d'une situation donnée peuvent nuancer les conseils présentés ici. Le contenu de ce livre est basé sur des lois, règlements, normes, pratiques et interprétations en référence au contexte de l'année 2009* et sujets à changement.

Afin de faciliter la lecture de ce livre, les auteurs se sont limités à aborder les concepts principaux ; certaines applications légales, fiscales, financières et humaines ne sont que survolées, compte tenu de leur complexité.

Les auteurs invitent donc les lecteurs à poursuivre leur démarche par la consultation de professionnels reconnus dans leur domaine d'expertise afin d'obtenir des conseils sur mesure.

Ce livre a été rédigé et édité avec soin, mais ni l'éditeur ni quelque personne ayant participé à sa préparation n'accepte de responsabilité légale relativement à son contenu ou aux conséquences pouvant résulter d'un usage mal avisé de son contenu.

---

* Mis à jour en 2010.

Présentation

Vous prendrez bientôt votre retraite ou désirez mieux la préparer ? Ce livre est pour vous. Vous découvrirez qu'il n'est jamais trop tard pour s'interroger et adopter de nouvelles stratégies afin de vivre une retraite épanouie.

Cet ouvrage, fruit de la collaboration de quatre professionnels chevronnés dans des domaines aussi variés que la psychologie, la planification financière, la fiscalité, l'actuariat et la gestion des risques, est unique en ceci que sa vision globale vous permettra d'explorer des aspects souvent oubliés ou négligés de la retraite.

Les rubriques, dialogues et capsules ont pour but de démystifier les concepts techniques et de vous guider dans vos réflexions. Les différents aspects de la planification en vue de la retraite – la situation personnelle et familiale, la finance, l'épargne, la fiscalité, les placements et les assurances – sont indissociables des facteurs humains et doivent être intégrés dans votre cheminement.

Loin de vous orienter vers des produits d'institutions financières spécifiques, ce livre vous offrira plutôt des stratégies et des outils afin de préparer votre retraite et de la vivre pleinement.

Vous avez entre les mains une référence qui vous évitera de « tomber » à la retraite…

Bonne lecture et bon cheminement !

Chapitre 1

La retraite... pourquoi on en parle autant ?

PAUL : Ce n'est pas parce que je vais avoir 65 ans
cette année que je vais prendre ma retraite !
De toute façon, mon patron n'a encore
trouvé personne pour me remplacer. Je crois
que je suis encore là pour longtemps…

ALAIN : Ah bon ? Je croyais qu'on n'avait pas
le choix de prendre sa retraite à 65 ans !
Eh bien, moi, je compte les jours qui me
séparent de la date prévue à mon régime de
retraite. Imagine, dans seulement 178 dodos,
je vais enfin pouvoir profiter de la vie !

PAUL : Mais tu n'as pas peur de t'ennuyer ?
De manquer d'argent ?

———————————————————

Tomber à la retraite, est-ce la réalisation d'un grand rêve, l'accomplissement d'une vie ou une dure réalité à affronter ? Chose certaine, si on en croit les statistiques démographiques, une bonne partie du Québec « tombera » à la retraite au cours des prochaines années…

« Tomber à la retraite » aura des conséquences financières, fiscales et humaines. Votre âge au moment de la retraite, votre état civil, l'âge de votre conjoint, votre situation financière, les types de revenus sur lesquels vous pourrez compter, votre santé mentale et physique sont tous des facteurs cruciaux à considérer dans la planification de votre retraite.

Selon Statistique Canada[1], le nombre de Canadiens âgés de 65 ans et plus devrait atteindre près de huit millions en 2028, soit le double du nombre noté en 2000.

En 2001, 11,8 % de la population canadienne âgée de 65 à 69 ans occupait un emploi. Avec la masse des baby-boomers qui s'apprêtent à franchir le cap de la retraite dans les prochaines années, il y a plutôt une tendance en faveur de la retraite anticipée. Pourtant, des études démontrent qu'en moyenne 20 % des travailleurs âgés de 45 ans et plus ont l'intention de prendre leur retraite après 65 ans ou… pas du tout !

Plus on avance en âge, moins l'idée d'une retraite hâtive nous enchante. Normal : l'espérance de vie augmente et on ne dispose peut-être pas d'assez d'économies pour s'offrir la retraite dorée dont on rêvait. Peut-être aussi avons-nous peur de ne pas savoir comment investir notre temps.

C'est pourquoi préparer votre retraite sur les plans financier et émotionnel vous évitera de « tomber »…

■ LA RETRAITE, SUJET DE L'HEURE

Il existe plusieurs façons de prendre votre retraite. Vous pouvez y arriver après l'avoir rêvée et planifiée selon une date préétablie, elle peut être subite à cause d'une maladie ou d'un congédiement, ou elle peut être progressive et répondre à un besoin de flexibilité d'horaire. Depuis quelques années déjà, les employeurs, les employés et même les politiciens sont tous très soucieux de s'adapter aux nouvelles données en ce qui concerne la retraite, qui n'est plus envisageable dans sa forme traditionnelle. C'est littéralement le sujet de l'heure.

■ LA DÉMOGRAPHIE EN CAUSE

La démographie (population vieillissante, pourcentage de la population active en chute libre), le contexte économique turbulent et les données sociopolitiques sont des facteurs influant sur la retraite.

La retraite est un sujet chaud, car la population du Canada et du Québec vieillit, et le concept d'une retraite à âge fixe est de moins en moins réaliste. La courbe démographique, telle que décrite par Statistique Canada, démontre bien que la tranche la plus nombreuse de la population active, c'est-à-dire les baby-boomers, s'approche « massivement » de l'âge de la retraite.

En 2011, la première cohorte des baby-boomers soufflera sa soixante-cinquième bougie… La planification de la retraite concerne donc beaucoup de monde.

COURBE DÉMOGRAPHIQUE

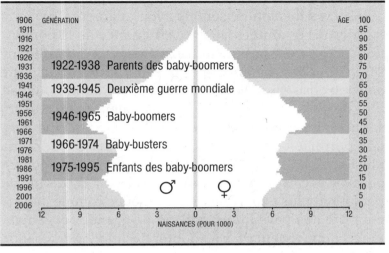

Source : Statistique Canada, Document 97-551-Figure 7

Bien que la retraite obligatoire n'existe pas au Québec, 65 ans rime avec retraite. Cette allusion à une retraite obligatoire à 65 ans est sans doute liée au fait que la plupart des régimes de retraite établissent cet âge comme critère d'admissibilité. Aussi, les rentes de retraite de l'État sont actuellement payables sans condition à compter de 65 ans.

Un employeur n'a pas le droit de vous congédier pour le seul motif que vous avez atteint ou dépassé l'âge ou le nombre d'années de service qui vous permettrait de prendre votre retraite.

■ LA POPULATION ACTIVE EN DÉCLIN

La portion active de la population diminue considérablement. En 2030, le Québec ne comptera que deux personnes en âge de travailler pour une personne de 65 ans ou plus, alors que le ratio est actuellement de cinq pour un[2]. Bien que le taux de natalité semble avoir augmenté au cours des dernières années, aucune croissance de la population active n'est prévue entre 2016 et 2025[3]. D'ailleurs, selon des études menées par la Fédération canadienne de l'entreprise indépendante (FCEI) et Emploi-Québec, plus de 40 % de la population active ralentira ou cessera ses activités professionnelles en 2011. On anticipe ainsi des pénuries de main-d'œuvre à court terme dans plusieurs secteurs d'activité et professions, ainsi qu'une perte de savoir-faire causée par le départ à la retraite du personnel plus expérimenté. Au Québec comme dans la majorité des pays industrialisés, de grandes organisations commencent déjà à adopter des modes de gestion favorisant le maintien en emploi du personnel plus âgé ainsi que le transfert des savoir-faire[4].

À cette génération à qui on a fait miroiter la possibilité de quitter le marché du travail avant la soixantaine, on demande maintenant de ne plus partir, ou encore de prendre une retraite progressive. Certains employeurs commencent à offrir des horaires flexibles et des emplois à temps partiel qui répondent aux nouvelles réalités du travail. Une retraite progressive, une retraite définitive au-delà de 65 ans et le retour au travail de plusieurs retraités sont de toute évidence les nouvelles tendances en la matière.

■ LES IMPACTS SOCIAUX

Ces nouvelles tendances de retraite et le remplacement des baby-boomers par une génération qui a développé des valeurs différentes en inquiètent plus d'un !

Nos gouvernements se retrouvent pris entre des réalités économiques liées au vieillissement de la population et les nouvelles valeurs familiales de la population active. Il n'est donc pas étonnant de constater que de nouvelles mesures fiscales et sociales sont constamment mises en place pour favoriser le départ à la retraite des baby-boomers de façon progressive ou même pour encourager le retour au travail des retraités.

LES GÉNÉRATIONS

ANNÉES DE NAISSANCE	GÉNÉRATION	CARACTÉRISTIQUES PRINCIPALES
1909-1945	**Vétérans**	Gardiens de la tradition, organisateurs hors pair et fondateurs de notre société. Généralement plus prudents sur le plan financier. Utilisent surtout l'argent comptant.
1946-1964	**Baby-boomers**	La valorisation de la carrière est importante. Ils ont eu des opportunités pour être fidèles en emploi. Ce sont des bâtisseurs qui ont laissé leur trace. Ils sont soit économes, soit dépensiers.
1965-1977	**X**	Ils aiment le changement et recherchent un équilibre famille/travail. Ils sont prêts à saisir toutes les occasions. C'est la génération sandwich. La précarité de l'emploi les a sensibilisés davantage à l'épargne.
1978-1993	**Y**	Ils font leur entrée sur le marché du travail avec leurs connaissances technologiques et leur désir de révolution. Ils recherchent constamment de nouveaux défis. S'ils ne sont plus satisfaits de leur situation, ils n'hésitent pas à la changer.

Source : InterSources, psychologues et conseillers en développement organisationnel et ressources humaines

Au Québec, le vieillissement de la population aura de lourdes conséquences économiques et sociales. Les recettes fiscales provenant de l'imposition et servant à financer la retraite et la santé devraient diminuer au fil des ans. Le nombre des charges sociales assumées par l'État augmentera (notamment dans le secteur de la santé) à mesure que le nombre de travailleurs baissera. Les futurs retraités seront bientôt tenus d'utiliser le pécule accumulé dans les régimes enregistrés d'épargne-retraite (REER), ce qui provoquera un déplacement des sources de revenus versés à l'État (à cause principalement de l'impôt reporté payable lors du rachat de sommes dans ces régimes enregistrés et les fonds de pension) au détriment de l'impôt sur les salaires.

■ L'ESPÉRANCE DE VIE GRANDISSANTE

La retraite est un sujet chaud également parce que l'espérance de vie augmente. Au cours des prochaines années, les gens âgés de 65 ans et plus seront plus nombreux à être « vieux » et ils vivront de plus en plus longtemps.

> **Vivre plus vieux signifie que la période de la retraite risque d'être plus longue que la période de vie active !**

■ REDÉFINIR LE MOT « RETRAITE »

À la lumière des nouvelles tendances et de la courbe démographique, il est fort probable que le mot « retraite » devra être redéfini. La retraite, pour bien des gens, signifie davantage la *liberté* ou le *choix* d'accepter ou non un petit contrat plutôt qu'un arrêt complet du travail. À la retraite, nous pourrons faire ce que nous désirerons et cesser de nous faire imposer une routine.

Pourtant, le mot « retraite » a encore une connotation bien négative.

Le mot « retraite » signifie « action de se retirer [...] du monde, des affaires, d'un emploi, etc. ».

Se retirer, certes, mais pour aller où ? Pas étonnant que la retraite engendre des peurs. C'est une période remplie d'imprévus et d'inconnus qu'on n'envisage pas lorsqu'on est bercés par la routine du travail.

Au-delà de la planification financière, organiser vos loisirs est aussi d'une importance cruciale. Une fois retraité, vous gagnerez instantanément près de 2 000 heures par année de temps libre ! Votre grand défi sera de meubler ces heures tout en restant en bonne santé physique, mentale et financière.

Chapitre 2

La retraite... à quel âge?

ROGER : Planifier sa retraite est une belle perte de temps ! On verra bien quand on y sera. On vivra avec ce qu'on aura, c'est ce qu'on a toujours fait.

SARAH (SON ÉPOUSE) : Oui, c'est bien beau, mais sans salaire, de quoi va-t-on vivre ?

RAYMOND (AMI) : L'important, c'est de profiter du temps qui reste. On ne sait jamais ce qui nous pend au bout du nez. Tu vois, dans mon cas, je ne pensais jamais prendre ma retraite, mais la vie en a décidé autrement. Après mon infarctus, je n'ai pas eu d'autre choix que d'y aller mollo.

SARAH : Bien sûr ! Mais ça prend des sous pour profiter de la vie. Je ne sais même pas si on en a assez pour payer le minimum.

ROGER : Ben voyons, Sarah, on n'a jamais manqué de rien !

SARAH : Je le sais bien, mais tu as toujours travaillé et tu n'as jamais été malade.

RAYMOND : Roger a un peu raison, on finit toujours par faire avec ce qu'on a, mais c'est quand même plus facile et rassurant si on a planifié.

––––––––––––––––––––––

Vous retirer de la vie active vous interpelle ? À quel âge croyez-vous devoir « tomber à la retraite » ? Est-ce que ce sera l'aspect financier ou l'aspect émotionnel qui vous guidera ?

Selon certains, il faut 70 % des revenus pour prendre sa retraite et maintenir un niveau de vie acceptable. Pour d'autres, 50 % seraient suffisants, mais plusieurs estiment que 100 % seraient requis ! Qui dit vrai ? En fait, personne. Ce ne sont que des estimations, projections, spéculations... et elles sont propres à chacun. Vous pouvez calculer ce qui vous sera nécessaire selon votre situation, vos objectifs et vos projets.

Il n'y a pas d'âge idéal pour se sentir prêt pour la retraite, ce sont généralement des événements qui feront résonner votre horloge biologique. Mais dans les faits, plus la soixantaine approche, plus les gens pensent à se retirer.

En moyenne, les hommes quittent le marché du travail à l'âge de 59,4 ans et les femmes à 58,4 ans[5]. Selon la même étude, les femmes prennent leur retraite encore plus tôt lorsqu'elles ont un conjoint. De même, les personnes à revenu élevé quittent le marché du travail plus jeunes que celles qui ont un faible revenu. Les travailleurs et travailleuses qui ont accumulé des économies dans un régime complémentaire de retraite (fonds de pension) ou dans un régime enregistré d'épargne-retraite (REER) quittent le marché du travail en moyenne six ans plus tôt que les autres.

■ LE CHEMIN QUI VOUS MÈNERA À LA RETRAITE

Prendre votre retraite fait partie de votre cheminement. Au fil des différentes étapes de votre vie, vous évoluez et réfléchissez à ce que vous deviendrez une fois retiré du marché du travail.

La vingtaine...

C'est l'âge de l'insouciance où nous tentons de prendre notre place dans un monde d'adultes tout en faisant le deuil de l'enfance ; l'âge des prises de position. Généralement, dans cette phase de notre vie, ce sont les dettes d'études ou liées à l'achat de la première voiture qui représentent l'élément le plus lourd dans notre bilan financier. À cet âge, l'idée qu'on se fait de la retraite est bien vague, et c'est normal si on considère les besoins de liquidités pour se construire des actifs. Pourtant, la sagesse et la rigueur d'économies périodiques pourraient permettre à ces jeunes gens de réaliser de beaux projets au cours de leur vie.

La trentaine...

À cet âge, rien n'est simple ou facile. Un éternel questionnement bouleverse le jeune adulte que nous sommes dans notre désir de bien définir nos rêves. Nos énergies sont toutes consacrées aux projets professionnels et familiaux. L'achat d'une première maison et l'arrivée des enfants, par exemple, engendrent des préoccupations financières. C'est généralement à cette étape de la vie que le budget est le plus serré. L'épargne en vue de la retraite n'est donc pas une priorité.

La quarantaine...

Quarante ans est souvent synonyme de réévaluation. Les idéaux et projets élaborés plus tôt sont remis en question. La plupart des gens, à cette étape de leur vie, s'interrogent sur la réalisation de leurs rêves. Plusieurs peuvent même avoir le sentiment d'être passés à côté de quelque chose. Il n'est pourtant jamais trop tard pour changer nos habitudes ou prendre une nouvelle direction.

Du côté financier, la quarantaine est aussi une période de transition. Un changement de carrière, un retour aux études ou encore un divorce peut bouleverser la situation financière et, conséquemment, les projets de retraite. Nous commençons à nous questionner sur notre retraite mais, dans beaucoup de cas, les dettes et les charges financières sont encore très importantes et laissent peu de liquidités supplémentaires pouvant être vouées à l'épargne en vue de la retraite.

Vers la cinquantaine...

Plus de la moitié de notre vie est accomplie et nous visons la continuité et la stabilité sur tous les plans. À cet âge, nous savons ce que nous désirons : savourer les moments de bonheur. Il est temps de relever de nouveaux défis tout en respectant nos limites. Notre réflexion devrait se tourner vers l'avenir, vers une retraite bien méritée qui serait à l'image de notre vie.

Du côté des finances personnelles, l'alarme est sonnée qui nous dit qu'il est grand temps de mettre le projet « retraite » sur la planche à dessin et de planifier notre fin de carrière comme nous en avons organisé le début. Généralement, nos dettes devraient être moins importantes et les enfants quittent la maison (on l'espère !), ce qui nous permet d'allouer davantage de ressources à l'épargne.

Vers la soixantaine...

Soixante ans, l'âge de la sagesse. C'est le moment de privilégier l'essentiel et de laisser tomber le superficiel. Le temps file, nous n'avons plus de temps à perdre. Savourer les moments de bonheur et passer du temps avec les êtres chers devient non seulement réalisable, mais une priorité.

La retraite est à nos portes. Il est grand temps d'estimer la faisabilité de nos objectifs. Pourrons-nous prendre notre retraite dans les prochaines années? Devrons-nous réduire notre train de vie ou devrons-nous retarder le moment de notre retraite faute d'épargne?

Tout au long de votre évolution, vous apprenez à vivre en harmonie avec vous-même et avec les autres. Il peut arriver que des événements malheureux ou imprévisibles de la vie (maladie, décès de proches…) bouleversent le cours des choses, de sorte que les étapes décrites précédemment peuvent varier d'une personne à l'autre. Votre défi est de vous adapter et de vous positionner en préparant les prochaines étapes de votre vie, dont celle de votre retraite.

■ OÙ EN ÊTES-VOUS SUR LE CHEMIN DE VOTRE RETRAITE?

MESURER VOTRE CHEMIN

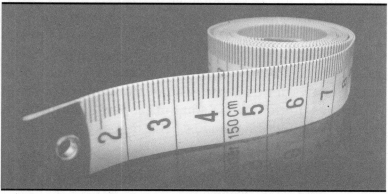

Prenez un ruban à mesurer et étirez-le jusqu'au chiffre 80. Ce chiffre correspond, pour les fins de l'exercice, à votre espérance de vie (ce n'est qu'une moyenne). Maintenant, posez votre doigt sur le chiffre correspondant à votre âge, par exemple 50. Ce qui est à gauche de votre doigt correspond à votre passé. À droite se trouve votre avenir.

En regardant la gauche du ruban à mesurer, posez-vous ces questions pour alimenter votre réflexion.

- Suis-je satisfait du cheminement accompli ?
- Ai-je des regrets ?
- Ai-je des aspirations non encore réalisées ?

Ce qui est à droite de votre doigt est, en théorie, ce qui vous reste à vivre. C'est dans cette partie d'avenir que se concrétisera votre retraite.

- Qu'aimerais-je faire du temps qu'il me reste ?
- Avec qui aimerais-je faire ce parcours ?

Il est important de vous poser les bonnes questions afin de passer les années qu'il vous reste heureux et en paix.

Cet exercice peut être effrayant parce qu'il vous fera prendre conscience de votre vieillissement.

Alors que le vieillissement physique résulte d'un processus lent, la perception que vous avez de la vieillesse est plutôt subjective. Ainsi, une personne d'une trentaine d'années peut avoir l'impression d'être vieille et même agir comme tel, quand d'autres sont encore «jeunes» à l'âge de 75 ans.

Existe-t-il un âge où vous serez trop vieux pour poursuivre votre cheminement de vie ? L'important n'est pas l'âge, mais plutôt la façon dont vous vivez votre vie.

Raymond se sentait invulnérable et, malgré son âge, la retraite ne lui effleurait pas l'esprit. Ayant adopté de bonnes habitudes de vie, pratiquant des activités physiques de façon régulière et ayant une saine alimentation, il était rarement malade. Mais un jour, il a fait un infarctus. Il a soudainement senti le poids de l'âge. Loin de se démonter, il a profité de cet événement pour faire un bilan de sa vie et a décidé d'accorder du temps à certaines passions qu'il avait mises de côté pendant longtemps. Pour préserver son équilibre de vie, il est actuellement semi-retraité et se sent le cœur jeune. Il a pris conscience d'un nouveau sentiment, celui de la vulnérabilité face aux aléas de la vie. ▪

Vous passerez tous par les mêmes étapes de préparation à la retraite, à un rythme qui pourra varier selon vos perceptions, votre situation professionnelle, votre environnement, votre culture, vos valeurs, votre éducation, votre réseau social, votre famille et votre relation de couple. Ces éléments devront être pris en considération pour faciliter votre passage à votre nouvelle vie de retraité.

Plus vous accorderez d'importance à prendre soin de vous, plus votre perception de vous-même sera positive.

Chaque individu est différent et vivra une transition de la vie active à la retraite qui dépendra de ses idéaux et de ses perceptions. Plus flous que les questions d'argent, les aspects humains ne peuvent pas se calculer ni s'accumuler en vue d'une retraite. Voilà pourquoi il vous faut prendre un temps d'arrêt et vous interroger en tant qu'individu.

Deux questions fondamentales devraient être posées par chacun d'entre vous.

▪ Dans mon cheminement personnel, où en suis-je ?
▪ Quelle direction souhaiterais-je prendre ?

Ce que vous n'aurez pas fait risque de vous rattraper. Comme le dit le proverbe chinois, ce que vous fuyez vous suit, et ce à quoi vous faites face s'efface...

Vous trouvez peut-être complexe et inutile de vous poser ces questions qui manquent de valeur pratique. Elles sont pourtant importantes et vous permettront de prendre le recul nécessaire afin de préparer votre retraite selon des facteurs humains, plutôt que strictement financiers.

Il est possible que vous viviez autant d'années à la retraite que sur le marché du travail. Raison de plus pour bien vous y préparer.

L'espérance de vie

Selon le *Petit Robert 1*, l'espérance de vie correspond à « la durée moyenne de la vie humaine dans une société donnée, établie statistiquement sur la base des taux de mortalité ». Elle représente la durée moyenne que peut espérer vivre une personne en fonction de son âge actuel.

TABLE DE MORTALITÉ, GÉNÉRATION 1951 (QUÉBEC)

FEMMES			HOMMES		
Âges	Espérance de vie	Âge moyen de décès	Âges	Espérance de vie	Âge moyen de décès
0	80,0	80,0	0	73,2	73,2
25	59,8	84,8	25	54,4	79,4
50	35,9	85,9	50	31,4	81,4
55	31,4	86,4	55	27,0	82,0
60	27,0	87,0	60	22,9	82,9
65	22,7	87,7	65	18,9	83,9
70	18,6	88,6	70	15,3	85,3
75	14,7	89,7	75	11,9	86,9
80	11,1	91,1	80	8,9	88,9

Source : Statistique Canada, 91F0015MPF

Comme elle est calculée selon l'année de naissance et qu'elle ne cesse d'augmenter, notre espérance de vie à la naissance ne correspond pas à celle qu'on a à l'âge de 60 ans. Alors qu'au moment de sa naissance une femme peut espérer vivre jusqu'à 80 ans, elle voit son espérance de vie augmenter de sept ans lorsqu'elle a atteint la soixantaine. Il est important de se rappeler que cette donnée est une moyenne, et que donc près de 50 % des gens dépasseront leur espérance de vie.

Il est donc imprudent de planifier le retrait de vos sommes accumulées pour la retraite sur la base de votre espérance de vie à la naissance. Le risque de survivre à votre capital, c'est-à-dire le risque de manquer d'argent alors que vous aurez encore des années à vivre, devient alors important.

Une femme de 60 ans a 25 % de chances de vivre au-delà de 95 ans, et un homme de 60 ans a 25 % de chances de vivre au-delà de 91 ans.

Peu importe l'âge auquel vous prendrez votre retraite, l'important est de vous assurer que vous aurez suffisamment de ressources financières pour combler vos besoins jusqu'à votre mort. Combien de temps durera cette retraite ? S'il était possible d'avoir une réponse précise à cette question, la planification financière serait un jeu d'enfant. Il vous suffirait de calculer combien vous pourriez dépenser annuellement pour qu'à la fin de votre vie il ne reste plus rien, ou qu'il reste le nécessaire à léguer à vos héritiers. Mais personne ne peut prévoir la date de sa mort. Il est donc important d'estimer vos revenus de retraite en vous assurant de ne pas risquer de survivre à votre capital.

■ QUELS SERONT VOS BESOINS À LA RETRAITE ?

S'il est important de vous questionner sur votre cheminement et votre perception du vieillissement, vous pouvez

être freiné dans vos réflexions par une insécurité liée
à vos finances. Pourquoi l'aspect financier prime-t-il le
volet humain ? La réponse est très simple et se base sur
la pyramide des besoins de Maslow.

PYRAMIDE DES BESOINS DE MASLOW

Dans l'article *A Theory of Human Motivation*, paru
en 1943, le psychologue Abraham Maslow a élaboré
une hiérarchie des besoins qui est encore aujourd'hui
bien d'actualité. On représente cette hiérarchie sous
la forme d'une pyramide constituée de cinq niveaux.
Selon Maslow, nous cherchons toujours à satisfaire les
besoins d'un niveau donné dans la pyramide avant de
penser aux besoins des niveaux supérieurs. Ainsi, nous
devons combler nos besoins physiologiques (respirer,
boire, manger, dormir, être en bonne santé) avant de
combler nos besoins de sécurité (avoir un endroit où
vivre, sécurité des revenus et des ressources). C'est pour
cette raison que, dans le cadre d'une préparation à la
retraite, l'aspect humain devient secondaire, la sécurité
financière étant primordiale pour assurer nos besoins
physiologiques de base.

Sarah, 46 ans, conjointe de Roger Bontemps, a travaillé
toute sa vie comme femme au foyer, s'occupant des
tâches domestiques, de l'éducation des enfants et du

bien-être de sa famille. Elle appréhende avec angoisse la retraite de son époux, qui, selon elle, les privera de revenus nécessaires. Pour Roger, la retraite se planifiera quand il y arrivera. Il vit au jour le jour. Après tout, certaines sommes ont été épargnées dans leurs REER. Pour sa part, il se préoccupe davantage des activités que sa conjointe et lui pourront pratiquer lorsqu'ils seront à la retraite. Si le couple prenait le temps de faire le point sur sa situation financière, Sarah serait rassurée. Par la suite, elle et Roger pourraient planifier leur nouvelle vie à deux. Tant et aussi longtemps que le premier besoin (soit celui de la sécurité financière) ne sera pas comblé, aucun investissement de temps ou d'énergie ne pourra être consacré aux autres aspects de la retraite. ▪

Ainsi, si votre besoin de sécurité n'est pas comblé, vous ne pourrez pas consacrer vos énergies au palier suivant, celui de l'amour et de l'appartenance sociale (le besoin de vivre en couple, de communiquer, de partager et de vous intégrer dans votre milieu). De même, une fois ces besoins affectifs satisfaits, vous pourrez enfin cheminer vers l'atteinte de l'estime : se respecter soi-même et respecter les autres, être reconnu, avoir une activité valorisante, etc. Il sera également possible de faire des projets, d'avoir des objectifs, des opinions, des convictions et d'exprimer vos idées. Finalement, le dernier palier de cette pyramide, soit celui de l'accomplissement, est lié à la poursuite de certains apprentissages. Ce besoin d'accomplissement amène l'individu à partager son expertise et son savoir, car il n'est plus en compétition avec lui-même ni avec les autres.

On n'a jamais définitivement atteint le sommet de la pyramide des besoins. Le processus est sans cesse renouvelé et, même à la retraite, chaque individu continuera de gravir les paliers selon les événements qui surviendront dans son quotidien.

Pour franchir le cap de vos besoins de sécurité et vous permettre de vous réaliser pleinement, il faudra d'abord vous rassurer sur vos ressources financières. C'est ce que nous verrons immédiatement.

■ QUELS SONT VOS BESOINS FINANCIERS ?

Madame Modeste a besoin de 20 000 $ par année pour atteindre ses objectifs. Elle devra avoir accumulé moins d'actifs que Monsieur Dépensier, qui dit avoir besoin d'un minimum de 100 000 $ nets pour payer l'entretien de ses deux maisons, ses deux voitures, son golf, son ski, son tennis… Vos besoins financiers dépendent de vos objectifs et de votre style de vie.

La meilleure façon de déterminer vos besoins à la retraite est d'établir votre coût de vie de façon formelle. Le coût de vie correspond à ce que vous dépensez annuellement, les impôts et les épargnes exclus. Plus simplement, il totalise la somme de vos dépenses annuelles.

Il existe deux méthodes pour établir votre coût de vie. La plus simple consiste à regarder ce qu'il vous reste après avoir payé vos impôts, vos charges sociales et votre épargne. Johanne illustre sa situation actuelle.

REVENU DISPONIBLE

Revenus avant impôts	**80 000 $**
Moins :	
Impôts et charges sociales	20 800 $
Cotisations au REER et autre épargne	14 400 $
Revenu disponible	**44 800 $**

Avec cette méthode, il est difficile de savoir si votre coût de vie sera le même à la retraite, car plusieurs de vos dépenses ne seront plus les mêmes. Par exemple, l'hypothèque sur votre résidence sera-t-elle remboursée ?

Voyagerez-vous davantage ? Les enfants auront-ils quitté la maison ? La deuxième méthode de calcul de votre coût de vie est plus précise puisqu'elle consiste à détailler vos dépenses actuelles en essayant de voir en quoi elles seront différentes à la retraite.

COÛT DE VIE

Dépenses	Avant la retraite	Après la retraite
Alimentation	10 000 $	7 200 $
Logement	15 500 $	10 800 $
Frais de transport	8 400 $	6 900 $
Soins de santé et soins personnels	3 700 $	4 200 $
Loisirs et divertissement	1 700 $	6 500 $
Enfants	2 000 $	—
Sécurité financière (assurances)	500 $	500 $
Dépenses diverses	3 000 $	1 000 $
Total des dépenses	44 800 $	37 100 $

Johanne a établi son budget actuel et celui qu'elle aura à la retraite en considérant que son grand fainéant de Tanguy aura quitté la maison et en tenant pour acquis qu'elle aura terminé de rembourser son hypothèque et sa marge de crédit. Ce sont les coûts de vie actuel et futur de Johanne. Vous pouvez constater qu'il y a une différence majeure entre ses besoins actuels et ses besoins futurs, malgré son désir de voyager davantage. ▪

▪ L'ÉVOLUTION DU COÛT DE VIE DANS LE TEMPS

Maintenant que vous avez déterminé le coût de vie que vous désirez à la retraite, n'oubliez pas que celui-ci augmentera au fil des années en fonction de l'inflation. Vos revenus de retraite ne seront pas nécessairement tous indexés au coût de la vie. Il est donc important de prévoir plus d'épargne pour compenser les effets de l'inflation.

Ne sous-estimez pas les effets de l'inflation. Un coût de vie annuel de 37 100 $ aujourd'hui sera de 55 100 $ dans vingt ans si on suppose un taux d'inflation de 2 % par année.

Quant à savoir si vous aurez à 80 ans des dépenses équivalentes à celles que vous aurez au début de la retraite, malheureusement, personne ne peut le dire. Au fur et à mesure que vous allez vieillir, certains types de dépenses disparaîtront. Par exemple, si vous avez encore un paiement hypothécaire au moment de la retraite, ou des enfants aux études, ou encore si vous prévoyez de voyager beaucoup, il est fort probable qu'à 80 ans ce ne sera plus le cas. Mais tout cela est très personnel et très variable : il y a des gens qui voyagent encore à 80 ans. Puis, certaines dépenses du début de la retraite seront peut-être remplacées par d'autres, comme celles qui sont liées aux soins de santé. Il est donc sage de ne pas supposer une réduction marquée des dépenses durant la période de la retraite.

À ce stade, vous aurez compris que préparer sa retraite implique un peu de travail. Vous pourriez avoir comme réflexe de penser que vous vivrez bien avec ce que vous aurez et que vous vous adapterez à vos revenus comme vous l'avez toujours fait. Mais il vaut mieux être prévoyant et se mettre à la tâche.

Pierre, un futur retraité, a actuellement un revenu brut annuel de 50 000 $. Après les impôts, les cotisations à son régime de retraite, les charges sociales (cotisation au Régime de rentes du Québec, à l'assurance emploi...), son revenu net disponible est de 32 800 $. ▪

CALCUL DE L'OBJECTIF DE REVENU DE RETRAITE

Revenu brut préretraite	**50 000 $**
Assurance emploi[1]	(796 $)
RRQ	(2 049 $)
Cotisation au régime de retraite (5 %)	(2 500 $)
Cotisation au REER	(2 000 $)
Impôts[2]	(9 855 $)
Revenu préretraite	**32 800 $**

À la retraite, Pierre n'aura plus à épargner, ni à verser de charges sociales. Ainsi, pour obtenir le revenu net de 32 800 $ qu'il gagnait avant la retraite, il devra avoir un revenu brut à la retraite de 42 597 $, soit 85 % de son revenu brut préretraite de 50 000 $. S'il maintient 73 % de son revenu brut, il devra réduire son revenu net à 29 520 $, ce qui entraînera une réduction de ses dépenses annuelles d'environ 3 280 $.

Pour un remplacement de revenu net de 100 %	
Revenu de retraite net visé	32 800 $
Revenu de retraite brut nécessaire	42 597 $
Nécessite un remplacement de revenu brut de	85 %
Pour un remplacement du revenu net de 90 %	
Revenu de retraite visé	29 520 $
Revenu de retraite brut nécessaire	36 704 $
Nécessite un remplacement de revenu brut de	73 %

1. Incluant la cotisation au RQPP.
2. Approximatif pour un célibataire en 2008.   Source : Coll. IQPF, Module 7

Déterminer le coût de vie souhaité est la première étape dans votre planification. Vous devrez ensuite trouver d'où proviendra l'argent pour assumer ce coût. Quelles seront les sources de revenu sur lesquelles vous pourrez compter afin de combler vos besoins ? Le chapitre suivant décrit en détail toutes ces sources. Vous serez alors capable d'évaluer le montant de chacune de celles auxquelles vous pourriez avoir droit.

Vous pourrez ensuite répondre aux questions suivantes.

- Combien d'argent me faudra-t-il avoir épargné ?
- À quel âge pourrai-je prendre ma retraite ?

POINTS À NE PAS OUBLIER

■ Vous devez tout d'abord assurer votre sécurité financière avant de pouvoir réfléchir à l'aspect humain de votre retraite.

■ Les besoins à la retraite sont différents pour chacun. Il n'y a pas de formule universelle pour calculer ce que seront vos besoins.

■ Pour déterminer votre coût de vie à la retraite, vous avez deux options : analyser votre revenu net actuel ou faire la liste de vos dépenses.

■ Les gens vivent de plus en plus vieux, il ne faut donc pas sous-estimer le besoin de capitaux pour financer votre retraite.

■ Ne négligez pas l'importance de poursuivre votre épanouissement personnel à la retraite.

■ Au-delà de vos besoins financiers, vous pouvez poursuivre votre cheminement pour vous réaliser pleinement.

Chapitre 3

Êtes-vous financièrement prêt à prendre votre retraite ?

ROGER : Je prends ma retraite dans un an, et ça
m'angoisse tellement que je n'en dors plus.
J'espère que mon collègue a raison quand il
prétend que mon régime de retraite me
versera une rente de 70 % de mon salaire.

BERTRAND : Je ne connais pas ton régime de retraite,
mais je pense que c'est plutôt lié au nombre
d'années de service. Tu as travaillé trente ans
pour le même employeur, c'est ça qui entre
dans la balance. Compte-toi chanceux d'avoir
un régime de retraite ; moi, j'ai dû accumuler
mon capital tout seul en cotisant à mon REER.

GINETTE : Moi non plus, je n'ai pas de régime de
retraite, et je n'ai aucun REER. Mon capital,
c'est ma maison.

ROGER : Mais tu n'y penses pas ! Comment vas-tu
réussir à vivre, une fois que ta maison sera
vendue ?

GINETTE : Avec le revenu de placement provenant
de la vente et les rentes de l'État. D'ailleurs, je
ne sais pas si je devrais demander ma rente de
retraite de la RRQ à 60 ans ou attendre à 65 ans.

GERTRUDE : Tu devrais attendre à 65 ans. Avant ça,
ta rente sera moins élevée.

BERTRAND : Moi, je pense qu'il est préférable
de retirer sa rente de la RRQ dès 60 ans.
En tout cas, c'est ce que je vais faire. J'ai fait
tous les calculs.

ROGER : Moi, je n'y ai pas droit. Ils vont l'enlever
de mon régime de retraite.

La retraite génère chez chacun beaucoup d'insécurité sur le plan financier. Alors que le travail a presque toujours déterminé votre vie, votre horaire et votre portefeuille, à l'heure de la retraite, vous devrez vivre de ce que vous aurez accumulé durant toutes ces années de labeur. Mais en aurez-vous accumulé assez ?

Nous avons parlé, dans le chapitre précédent, des objectifs de retraite des points de vue humain et financier. Lorsque vous aurez établi de façon assez précise et réaliste votre coût de vie à la retraite, l'étape suivante sera de déterminer quelles seront les sources de revenu qui financeront ce coût de vie.

Les sources de revenu à la retraite peuvent être nombreuses. Les régimes publics, les régimes privés offerts par les employeurs, les régimes enregistrés d'épargne retraite (REER), les placements hors REER et les immeubles à revenus en sont des exemples.

Seulement 40 % de l'ensemble des employés au Canada bénéficient d'un régime de pension agréé (RPA) offert par leur employeur.

En 2001, 2,1 millions d'employés déclaraient participer à un REER collectif; de ce nombre, 24,5 % travaillaient dans des entreprises qui n'offraient pas de REER collectif et 8 % travaillaient dans des entreprises qui n'offraient aucun régime de retraite !

« Contrairement à leurs employeurs, de nombreux travailleurs ne connaissent pas bien la distinction entre les régimes de retraite (fonds de pension) et les REER collectifs[6]. »

Ne pas bien comprendre les outils mis à votre disposition pour épargner peut avoir un impact considérable sur votre perception de la retraite, mais aussi sur vos attentes en matière de revenus.

Comprenez-vous bien votre régime de retraite ? Le contexte économique au moment de votre retraite pourra-t-il influencer votre rente, voire votre décision de quitter votre emploi ? Savez-vous sur quelles sources de revenu vous pourrez compter à la retraite ?

C'est votre devoir de chercher l'information adéquate sur vos revenus de retraite ; si vous ne le faites pas, qui le fera à votre place ? Consultez votre département des ressources humaines, les brochures sur les avantages sociaux offerts par votre employeur, vos relevés annuels. Demandez votre relevé de la RRQ. Informez-vous et prenez le temps de lire l'information offerte. La planification de votre retraite ne se fera pas en dix minutes ! Vous devez y consacrer temps et efforts. Vous mettez des heures à choisir une voiture, un réfrigérateur, une télévision dans les magasins. Ces biens de consommation seront désuets quelques années après leur achat. Pourquoi ne pas prendre autant de temps, sinon beaucoup plus, pour préparer les trente prochaines années de votre vie ? Une retraite ne peut pas être planifiée seulement au cours du mois qui précède la date fatidique, vous devez vous y prendre plusieurs années d'avance.

■ LES RÉGIMES PUBLICS

Au Québec, nous pouvons compter sur deux régimes publics. Le régime de base pour tous les Canadiens est le Programme de la sécurité de la vieillesse (SV). Il constitue la base du revenu de retraite, mais il est loin d'être suffisant pour assurer un niveau de vie confortable.

Se greffe à la SV le Régime de rentes du Québec (RRQ), qui est accessible à ceux qui y ont cotisé, soit les travailleurs, les salariés et les travailleurs autonomes.

Le revenu de retraite dont vous pourrez jouir sera établi en fonction des cotisations versées au régime durant votre vie active.

Plus votre revenu de travail aura été élevé, plus son taux de remplacement par les régimes gouvernementaux sera faible. À titre d'exemple, pour une retraite à 65 ans et un revenu de 45 000 $ durant la vie active, la somme des régimes gouvernementaux (SV et RRQ) atteindra un taux de remplacement de votre revenu de 40 %. Le graphique suivant illustre cette situation.

TAUX DE REMPLACEMENT DU REVENU

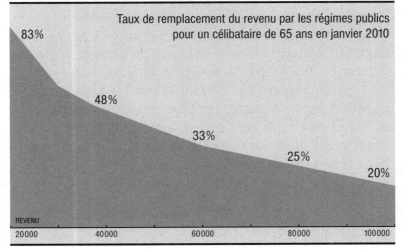

Dans ce graphique, vous pouvez constater que pour un revenu annuel de 20 000 $, le total des rentes de retraite versées par les régimes publics remplacera 83 % du salaire de la vie active. En effet, la somme de la rente de la RRQ et des programmes du gouvernement fédéral, soit la Pension de la Sécurité de la vieillesse (PSV) et le Supplément de revenu garanti (SRG), équivaut à 16 538 $ en 2010. Dans une telle situation, les efforts d'épargne pour la retraite sont nettement moins élevés que les efforts d'épargne requis pour remplacer un revenu de 80 000 $.

■ LE PROGRAMME DE LA SÉCURITÉ DE LA VIEILLESSE

Le Programme de la sécurité de la vieillesse est un régime universel payable à compter de l'âge de 65 ans aux citoyens canadiens ou résidents légaux du Canada. Les prestations de ce programme comprennent la Pension de la Sécurité de la vieillesse (PSV), le Supplément de revenu garanti (SRG) et l'Allocation. Ce programme, qui devait être une mesure temporaire d'après-guerre, fêtera bientôt ses 80 printemps !

La Pension de la Sécurité de la vieillesse (PSV)

À titre d'exemple, la Pension de la Sécurité de la vieillesse maximale était de 521,62 $ par mois au dernier trimestre de l'année 2010[7], soit un peu plus de 6 200 $ par année. Pas de quoi passer vos hivers en Floride ! La prestation, payable mensuellement, est indexée aux trimestres, soit au début des mois de janvier, avril, juillet et octobre. Cette indexation est calculée selon l'augmentation de l'indice des prix à la consommation (IPC), une mesure de l'inflation. Cette prestation est imposable.

Y aurez-vous droit ?

Pour recevoir le montant total de la Pension de la Sécurité de la vieillesse, vous devez avoir résidé au Canada pendant des périodes qui totalisent au moins quarante ans après avoir atteint votre majorité. Une personne qui a résidé au Canada pendant moins de quarante ans après l'âge de 18 ans peut être admissible à une pension intégrale à condition d'avoir atteint 25 ans le 1er juillet 1977. Des prestations partielles peuvent être versées aux résidents qui ne satisfont pas à ces critères. De façon générale, dix années de résidence au Canada après avoir atteint l'âge de 18 ans sont requises pour recevoir une pension au Canada.

Roger parle justement à Gertrude du fait qu'il ne comprend pas pourquoi son ami de 66 ans ne reçoit que 400 $ par mois, alors que son épouse reçoit le plein montant. En fait, l'ami de Roger a des revenus importants d'un régime de retraite et continue de travailler. Ces revenus totalisent 75 000 $ et dépassent donc le plafond de 66 733 $ (2010). Bien qu'il soit admissible à la PSV, il n'en reçoit qu'une partie.

Dans les faits, le montant de la PSV est basé sur les revenus de l'année précédente et est réajusté lors de la production de la déclaration de revenus. Ainsi, d'année en année, l'ami de Roger recevra une pension de sécurité de vieillesse en fonction de son revenu. ▪

Si votre revenu net est supérieur à 66 733 $ (données de 2010[8]), vous perdrez graduellement la Pension de la Sécurité de la vieillesse (PSV) à raison de 15 % de chaque dollar dépassant ce seuil. Le revenu net auquel nous faisons référence ici est celui qui est obtenu avant rajustements (ligne 234 de la déclaration de revenus fédérale).

Si votre revenu en 2010 était de 75 000 $, vous devrez rembourser 15 % de la différence entre 75 000 $ (votre revenu) et 66 733 $ (le seuil de récupération de la PSV en vigueur). Ainsi,

$$75\,000\ \$ - 66\,733\ \$ = 8\,267\ \$$$
$$8\,267\ \$ \times 0{,}15 = 1\,240\ \$$$

Dans un tel cas, votre pension serait donc réduite de 1 240 $ pour l'année 2010. Conséquemment, si vous avez reçu des sommes en trop, elles seront remboursables lors de la production de vos déclarations fiscales de 2010, en avril 2011. C'est parfois à cause de la récupération de la PSV que les retraités trouvent leurs factures fiscales salées !

Si vous avez dû rembourser une partie de votre pension cette année, un montant approprié sera retenu sur vos prochains versements de la PSV. Ainsi, les déductions seront réparties sur vos 12 prestations de pension mensuelles, et vous n'aurez pas à payer une somme globale au moment de déclarer vos revenus, en avril prochain, lors de la production de votre déclaration fiscale.

Le Supplément de revenu garanti (SRG)

D'autres prestations payables par le gouvernement fédéral sont incluses dans le Programme de la sécurité de la vieillesse. Il s'agit du Supplément de revenu garanti (SRG) et de l'Allocation. Le SRG est une prestation mensuelle versée aux résidents du Canada de plus de 65 ans qui reçoivent une Pension de la Sécurité de la vieillesse (intégrale ou partielle) et dont le revenu net familial est faible ou nul. Votre revenu net familial est la somme de votre revenu et de celui de votre conjoint (marié ou de fait). Les sommes du SRG que vous pourriez recevoir varieront donc annuellement en fonction des changements de vos revenus et de votre état matrimonial. À titre d'exemple pour 2010[9], voici un tableau illustrant le revenu au-dessus du seuil considéré faible et à compter duquel aucun SRG ne sera versé.

REVENU FAMILIAL POUR SRG

ÉTAT MATRIMONIAL	REVENU FAMILIAL MAXIMAL (OCTOBRE 2010) À COMPTER DUQUEL AUCUN SRG N'EST VERSÉ
Célibataire, veuf ou divorcé	15 816 $
Personnes mariées ou en union de fait recevant chacune la PSV	20 880 $
Personnes mariées ou en union de fait dont une seule reçoit la PSV	37 920 $

Source : Service Canada

L'Allocation

L'Allocation peut être versée à l'époux ou au conjoint de fait d'un pensionné de la Sécurité de la vieillesse, ou à un conjoint survivant. Pour y avoir droit, le requérant doit être âgé de 60 à 64 ans et avoir vécu au Canada pendant au moins dix ans après avoir atteint l'âge de 18 ans. Le requérant doit également être citoyen canadien ou résident légal du Canada pour recevoir ces prestations.

Contrairement à la Pension de la Sécurité de la vieillesse, le SRG et l'Allocation ne sont pas des revenus imposables.

Si vous êtes éligible aux prestations du SRG ou de l'Allocation, vous devez en faire la demande annuellement.

■ LE RÉGIME DE RENTES DU QUÉBEC (RRQ)

Le Régime de rentes du Québec est un régime auquel vous avez contribué si vous avez eu des revenus d'emploi ou des revenus d'entreprise (travailleurs autonomes). Pour avoir droit à une rente de ce régime, vous devez y avoir cotisé.

Les cotisations

La cotisation de l'employé s'élève actuellement à 4,95 % du salaire gagné jusqu'à concurrence du maximum des gains admissibles (MGA). Le MGA correspond au salaire maximal sur lequel vous cotisez à la RRQ. En 2010, il était de 47 200 $[10]. Aucune cotisation n'est prélevée sur la première tranche de 3 500 $ de revenu. L'employeur doit verser à la Régie des rentes du Québec, au bénéfice de son employé, le même montant que celui-ci y cotise. Considérant qu'un travailleur autonome est son propre employeur, il doit verser le double de la

cotisation, soit 9,9 %. À titre d'exemple, en 2010, les cotisations à la RRQ se répartissent comme dans le tableau
suivant.

COTISATIONS À LA RRQ (2010)

SALAIRE	EMPLOYÉ	TRAVAILLEUR AUTONOME
Plus de 47 200 $	2 163,15 $	4 326,30 $
30 000 $	1 311,75 $	2 623,50 $

Source : Régie des rentes du Québec

Les récents déboires de la Caisse de dépôt et placement du Québec ont remis sur la place publique le débat
sur la hausse des cotisations, car c'est la Caisse qui gère
les sommes versées à la RRQ. Rappelons-nous que la
cotisation initiale à la RRQ, lors de la création du régime
en 1966, s'élevait à 1,6 % du salaire jusqu'à concurrence du MGA, qui était à ce moment-là de 5 000 $. Les
cotisations ont été stables jusqu'en 1986, pour ensuite
augmenter graduellement jusqu'à atteindre 4,95 % (total
de 9,9 %) depuis 2003. Selon le document de consultation de la RRQ «Vers un Régime de rentes du Québec
renforcé et plus équitable», la cotisation d'équilibre
requise afin de protéger la viabilité du régime à long
terme s'élève à 10,62 % (cotisation jumelée d'employés
et d'employeurs). C'est pourquoi la RRQ envisage une
hausse des cotisations de 0,10 % par année jusqu'à atteindre 10,4 % en 2015. Cette proposition avait été élaborée
avant les rendements négatifs de la Caisse de dépôt de
2008. Mais si les cotisations augmentaient graduellement
durant les dix prochaines années, est-ce que l'impact de
cette hausse serait notable pour une personne qui est
actuellement à dix ans de sa retraite ? Une hausse des
cotisations à la RRQ de 0,10 % par année coûterait 47 $
à un salarié qui gagne plus de 47 200 $ (soit le MGA en
2010). Sur une période de dix ans, en supposant que la
cotisation augmente chaque année à ce rythme, 2 600 $

au total seraient exigés à l'employé et à l'employeur, ce qui ne représente pas un coût si élevé.

La rente de retraite de la RRQ

La rente de retraite payable sera fonction de l'ensemble des cotisations faites au régime au fil des ans.

> Demandez votre relevé du Régime de rentes du Québec, vous y retrouverez toutes les informations relatives à vos cotisations et aux rentes prévues selon votre situation. C'est gratuit, et ces données sont essentielles pour la planification de vos revenus de retraite.

La rente de retraite est normalement payable à compter de 65 ans, mais elle peut être réclamée dès l'âge de 60 ans, moyennant une diminution de 0,5 % par mois d'anticipation (donc de 6 % par année). La demande de la rente de retraite peut aussi être reportée au plus tard à l'âge de 70 ans. Si la demande est faite après l'âge de 65 ans, la rente de retraite est bonifiée dans les mêmes proportions, soit de 0,5 % par mois (ou de 6 % par année). En bref, la rente à 60 ans correspond à 70 % de la rente prévue à 65 ans et, à 70 ans, elle correspond à 130 % de celle-ci.

RENTE DE RETRAITE DE LA RRQ

ÂGE DE DÉBUT DE VERSEMENT DE LA RENTE	RENTE DE RETRAITE MAXIMALE MENSUELLE VERSÉE PAR LA RRQ EN 2010
À 65 ans	934,17 $
À 60 ans (70 %)	653,92 $
À 70 ans (130 %)	1214,42 $

Source : Régie des rentes du Québec

Pour recevoir la rente à compter de 60 ans, vous devez soit avoir cessé de travailler, être présumé avoir cessé de travailler ou être en retraite progressive.

La cessation du travail

Pour la RRQ, être présumé avoir cessé de travailler signifie que vous prévoyez avoir un revenu inférieur à 25 % du maximum des gains admissibles (MGA) pour les douze prochains mois. C'est donc dire que si vous diminuez vos heures de travail et si vous estimez que vos revenus seront inférieurs à 11 800 $ (25 % × 47 200 $) pour l'année, vous serez aux yeux de la RRQ considéré comme ayant cessé de travailler. Une simple déclaration de votre part incluant ces informations suffit pour vous donner droit à votre rente de retraite dès l'âge de 60 ans.

La retraite progressive

Être en retraite progressive signifie pour la RRQ que vous avez pris avec votre employeur une entente selon laquelle vous avez réduit votre rémunération d'au moins 20 %. La RRQ vous demandera une copie de cette entente. Notez que la notion de retraite progressive peut varier sensiblement selon les divers régimes de retraite dont nous parlerons plus en détail dans les prochains chapitres.

> Vous êtes âgé de 60 ans et vous gagnez 50 000 $ par année. Vous signez avec votre employeur une entente prévoyant qu'à compter de cette année vous travaillerez quatre jours par semaine au lieu de cinq, et que votre revenu sera donc réduit à 40 000 $ par année. Vous pouvez demander votre rente de retraite à la RRQ, puisque votre entente avec votre employeur prévoit une réduction de 20 % de votre rémunération et de votre temps de travail.

En supposant que vous avez droit à la rente maximale de la RRQ, vous recevrez 7 847 $ par année. Votre revenu total s'élèvera donc à 47 847 $, ce qui n'est pas très loin de votre revenu initial de 50 000 $, et cela en travaillant une journée de moins par semaine. ▪

La rente de retraite du RRQ à 60, 65 ou 70 ans ?

Bien que vous puissiez vous qualifier pour recevoir votre rente de retraite selon les critères du RRQ, une question vous brûle sans doute les lèvres : est-il préférable de demander votre rente de retraite à 60 ans ou à 65 ans ?

Bertrand est convaincu qu'il est préférable de faire la demande de sa rente de retraite auprès de la RRQ dès l'âge de 60 ans. Ingénieur de formation, il a fait tous les calculs et prétend qu'il aura compensé la réduction de sa rente (de 6 % par année) à l'âge de 78 ans ! Il essaie de convaincre Gertrude, la sceptique, qui, elle, est certaine que le gouvernement veut profiter de son argent.

Elle préfère attendre ses 65 ans et recevoir plus, parce qu'elle pense qu'elle aura besoin de cet argent lorsqu'elle sera plus âgée. De plus, dans la famille de Gertrude, tout le monde vit très vieux. Elle trouve donc plus prudent de se priver maintenant pour assurer ses vieux jours ! Quant à Bertrand, il réplique qu'il préfère en profiter maintenant, alors qu'il est en santé... ▪

En comparant la somme reçue à compter de 60 ans à la somme reçue à compter de 65 ans, on constate en effet que l'équilibre est atteint vers l'âge de 78 ans si on ne suppose aucun rendement.

RENTE DE RETRAITE DU RRQ VERSÉE À 60, 65 OU 70 ANS

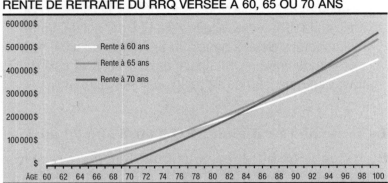

D'un point de vue mathématique, si vous pensez que vous ne vivrez pas au-delà de 78 ans, vous avez tout avantage à demander votre rente de retraite auprès de la RRQ dès que vous vous qualifierez. En plus, c'est peut-être dès l'âge de 60 ans que vous aurez besoin de ces revenus de retraite et que vous pourrez en profiter!

Mais la décision de faire la demande de votre rente auprès de la RRQ va bien au-delà du simple calcul mathématique, d'autant plus qu'il est difficile de prévoir la date de sa propre mort.

> **Si vous cessez de travailler avant l'âge de 55 ans, vous avez tout avantage à demander votre rente de retraite auprès de la RRQ dès 60 ans.**

Vos cotisations annuelles dans ce régime comptent dans le calcul de la rente à laquelle vous aurez droit. Dans les faits, moins vous aurez versé de cotisations ou moins vous aurez d'années de cotisation à votre actif, plus petite sera votre rente de retraite. En cessant de travailler, vous cessez de cotiser au Régime de rentes du Québec. Les années où vous n'aurez pas cotisé au régime seront prises en compte dans le calcul de vos rentes et elles les réduiront proportionnellement. Si vous avez cessé de travailler avant l'âge de 60 ans et que vous attendez vos 65 ans pour demander votre rente, vous n'aurez pas cotisé entre 60 et 65 ans, ce qui aura pour effet de diminuer votre rente. Dans ce cas-là, il pourrait donc être nettement plus avantageux de demander votre rente dès votre admissibilité, soit à 60 ans.

> Gérard est un médecin de 60 ans qui a pris sa retraite il y a déjà cinq ans. Il avait commencé à cotiser au Régime de rentes du Québec à l'âge de 22 ans, et il a toujours eu un salaire élevé lui permettant de cotiser le maximum permis (soit un revenu au-delà du MGA de l'année). Il a donc cotisé le maximum permis durant une période de 33 ans. Pour avoir droit à la rente de retraite maximale de la RRQ à compter de l'âge de 60 ans, un individu doit avoir versé la cotisation maximale pendant une période de 36 ans. En ayant pris sa retraite à l'âge de 55 ans, Gérard n'aura donc pas droit à la rente maximale, bien qu'il ait cotisé toute sa vie active le maximum permis. Il recevra donc une rente de retraite proportionnelle à sa période de cotisation.
>
> S'il attendait ses 65 ans pour demander sa rente de retraite auprès de la RRQ, il serait encore plus pénalisé parce que, pour avoir la rente maximale, il aurait dû cotiser durant 40 ans, alors qu'il n'a cotisé que durant 33 ans. Si l'on compare la rente de retraite qu'il recevrait à compter de 60 ans à la rente de retraite qu'il recevrait à compter de 65 ans, il lui faudrait vivre au-delà de 90 ans pour que les sommes reçues soient équivalentes. Dans sa situation, Gérard a donc nettement avantage à demander sa rente de retraite de la RRQ dès l'âge de 60 ans! ▪

■ LES DIFFÉRENTS RÉGIMES DE RETRAITE PRIVÉS

Participez-vous à un régime de retraite privé ? En connaissez-vous les composantes ? Savez-vous combien ce régime vous procurera de revenus à la retraite ?

Un peu plus de 40 % des travailleurs québécois participent à un régime de retraite parrainé par leur employeur. Ce qui implique évidemment que près de 60 % des travailleurs n'ont pas ce privilège. Il est évident qu'un employé qui a travaillé toute sa carrière auprès d'une grande entreprise offrant un régime de retraite généreux n'aura probablement pas beaucoup de soucis à se faire pour sa retraite.

En considérant la valeur de votre régime de retraite dans vos actifs, vous êtes peut-être millionnaire sans le savoir.

Compte tenu de la mobilité de la main-d'œuvre et de la baisse de popularité de ces régimes de retraite auprès des employeurs, le nombre de participants et de régimes offerts n'ira pas en augmentant. Mais pour les travailleurs qui ont la chance d'avoir accès à ces régimes, regardons de plus près les caractéristiques de ces derniers.

Il est important pour les employés qui participent à un régime de retraite de bien comprendre les avantages que leur offre celui-ci afin d'en maximiser l'utilisation et de bien connaître le revenu dont ils pourront bénéficier à la retraite.

Les régimes à prestations déterminées (PD)

Les régimes à prestations déterminées se retrouvent généralement dans les grandes entreprises, dans les secteurs public et parapublic, et sont souvent offerts aux employés syndiqués. Ces régimes sont de moins en moins populaires, malgré les efforts concertés des organismes gouvernementaux et des principaux intervenants du marché. La raison en est qu'ils sont très onéreux et que les coûts de maintien deviennent de plus en plus imprévisibles pour les employeurs. Ces régimes de retraite semblent aussi plutôt mal adaptés aux nouvelles réalités du travail, alors que les carrières de trente-cinq ans auprès d'un même employeur se font de plus en plus rares.

En 2009, plusieurs régimes de retraite à prestations déterminées étaient en déficit de solvabilité, ce qui signifie que, si le régime était aboli à cette date, les sommes accumulées dans la caisse de retraite ne seraient pas suffisantes pour financer les prestations promises aux employés. Ceux-ci risquent donc de recevoir des prestations de retraite inférieures à celles qui sont prévues si leur employeur se voyait dans l'obligation de déclarer faillite. Ce risque, devenu non négligeable dans l'entreprise privée, doit maintenant être considéré dans le cadre de la planification de votre retraite.

Les régimes PD sont des régimes qui garantissent une rente viagère calculée sur la base d'une formule préétablie, des années de participation dans le régime et d'une moyenne des salaires. Ces régimes sont normalement financés par des cotisations des employés qui varient entre 0 et 9 % de leur salaire, et par celles de l'employeur, qui doit verser les sommes nécessaires afin de s'assurer que le régime aura les fonds suffisants pour assumer ses obligations.

Les régimes de retraite individuels (RRI), qui s'adressent principalement aux actionnaires de petites et moyennes entreprises (PME), font aussi partie de la catégorie des régimes de retraite à prestations déterminées.

Les régimes à prestations déterminées comportent toutes sortes de bénéfices complémentaires qui varient d'un régime à l'autre sur le plan de l'indexation, de l'âge de la retraite anticipée, des bénéfices au décès du retraité, etc.

Les variations sont importantes d'un régime de retraite à l'autre. Sur votre relevé, vous trouverez normalement les informations pertinentes comme le nombre d'années de votre participation au régime, le salaire pris en compte et des projections de rentes à certains âges de retraite possibles.

Lorsque vient le temps de planifier votre retraite, il est impératif de bien comprendre votre régime et de bien lire votre relevé annuel.

Le montant des cotisations versées dans ces régimes à prestations déterminées ne constitue pas un élément décisif dans la prévision de la rente payable à la retraite, puisque celle-ci est calculée selon une formule préétablie et non en fonction des cotisations accumulées.

Quoi de mieux qu'un exemple pour bien comprendre ? Prenons le Régime de retraite des employés du gouvernement et des organismes publics (RREGOP), soit le régime des fonctionnaires provinciaux administré par la CARRA.

Roger prétend qu'il aura droit à 70 % de son salaire s'il prend sa retraite à 60 ans. A-t-il raison ? En regardant la situation de Roger d'un peu plus près, nous constatons qu'il a accumulé 30 années de service admissibles au calcul et que son salaire moyen des cinq meilleures années est de 50 000 $.

Le calcul de la rente du RREGOP payable avant l'intégration prévue à l'âge de 65 ans se fait comme suit :

2 % × les années de service admissibles × le salaire moyen des cinq meilleures années

= 2 % × 30 ans × 50 000 $
= 60 % × 50 000 $
= 30 000 $

En fait, Roger croyait avoir droit à 70 % de son salaire parce que c'est ce que lui avait juré ce cher Simon, dont une ex-collègue reçoit effectivement une rente de retraite correspondant à 70 % de son salaire. Mais pour avoir droit à 70 % de son salaire, il aurait fallu que Roger compte 35 années de service admissibles au calcul.

Un autre élément que Roger n'a pas considéré est que sa rente provenant de son régime de retraite est intégrée au Régime de rentes du Québec. L'intégration d'une rente de retraite à celle de la RRQ implique que la rente de retraite payable par le régime (le RREGOP dans ce cas-ci) sera réduite d'un montant estimant la rente de retraite de la RRQ. Ainsi, Roger verra la rente de retraite de 30 000 $ versée par son ancien employeur réduite, à compter de ses 65 ans, d'un montant équivalent à :

0,7 % × le nombre d'années admissibles au calcul × le moindre entre la moyenne des cinq derniers maximums des gains admissibles (MGA[11]) et le salaire moyen.

En supposant que Roger prend sa retraite le 1er janvier 2011 : 0,7 % × 30 ans × (le moindre entre 44 840 $[12] et 50 000 $) = 9 416 $

La rente de retraite de l'employeur versée à Roger sera donc de 30 000 $ entre 60 et 65 ans et de 20 584 $ (30 000 $ – 9 416 $) à compter du mois qui suivra celui où Roger atteindra ses 65 ans. ▪

Il est donc primordial d'analyser en détail votre relevé de participation à un régime de retraite afin de connaître exactement quels seront vos revenus de retraite. La morale de l'histoire : méfiez-vous des « il paraît que... » !

Les régimes d'accumulation de capital

Si votre employeur n'offre pas de régime de retraite à prestations déterminées, peut-être vous offre-t-il un autre type de régime. Regardons de plus près le genre de régime auquel vous pouvez participer.

Les régimes d'accumulation de capital regroupent plusieurs types de régimes. Nous parlerons dans cette section des régimes collectifs offerts dans les entreprises et des régimes personnels. Tous ont le même objectif, soit de vous permettre d'accumuler des sommes en vue de la retraite. Dans tous ces régimes, les cotisations versées par l'employé (et l'employeur si tel est le cas) sont fixées à l'avance ou en fonction de certains paramètres, par exemple les années de service. Les sommes sont prélevées à la source et déposées régulièrement dans des véhicules d'investissement choisis individuellement par les participants. Le rendement sera fonction des types d'investissement choisis. Le revenu de retraite sera relié aux cotisations versées et au rendement obtenu.

Contrairement aux régimes à prestations déterminées décrits à la section précédente, ces régimes ne garantissent pas une rente annuelle prédéterminée; le revenu ne sera jamais garanti, il sera toujours tributaire des rendements, même durant la retraite! Cela implique que le risque de rendement est entre les mains de l'employé, et que la planification de retraite sera moins facile à préparer et devra être analysée en détail.

Les régimes collectifs

Les régimes collectifs sont offerts par certains employeurs. On retrouve dans cette catégorie les régimes à cotisations déterminées, les régimes de retraite simplifiés (RRS), les REER collectifs et les régimes de participation différée aux bénéfices (RPDB). Il est très important que vous vérifiiez auprès de votre employeur le type de régime auquel vous avez droit.

Hubert participe à un régime à cotisations déterminées, dans lequel il verse 4 % de son salaire. Comme son employeur verse le même montant, cela donne une cotisation totale de 8 % de son salaire. Avec un salaire de 40 000 $ par année, Hubert accumule donc 3 200 $ par année, somme qu'il a décidé d'investir dans un fonds commun équilibré. Avec un rendement annuel composé de 5 %, son capital accumulé dans 20 ans sera d'un peu plus de 131 000 $, ce qui lui procurera un revenu mensuel de 725 $ sur une période de 20 ans. ▪

Les régimes collectifs peuvent prendre différentes formes. Les taux de cotisation peuvent varier, mais dans tous les cas ils permettront une cotisation prélevée sur la paie et, par la même occasion, une déduction fiscale immédiate. Une déduction immédiate signifie que le remboursement d'impôt est reçu au fur et à mesure que vous cotisez et que vous n'avez pas à attendre la préparation de votre déclaration fiscale pour l'obtenir. En profitant de cette retenue à la source, vous verserez à votre régime enregistré une cotisation nette, c'est-à-dire après déduction fiscale.

Si vous versez 2 000 $ par année dans votre REER personnel, vous recevrez votre remboursement d'impôt en avril de l'année suivante. Si on estime le remboursement d'impôt à 800 $, votre cotisation ne vous coûte que 1 200 $. Dans un régime collectif, le prélèvement à la paie sera immédiatement de 1 200 $, car le remboursement d'impôt est déjà considéré. Vous n'aurez donc pas à débourser 2 000 $ et à attendre le retour d'impôt de 800 $: vous ne débourserez que 1 200 $ pour une cotisation de 2 000 $. ▪

Dans la plupart des cas, vous aurez à effectuer vos choix de placements parmi une offre définie par l'employeur et son fournisseur de services, en l'occurrence l'établissement financier où sera détenu votre REER collectif. Les choix de placements prennent normalement la forme de fonds communs de placement ou de placement garanti.

■ LES REER PERSONNELS

Les REER personnels sont probablement la façon la plus populaire chez les Québécois et les Canadiens d'amasser des sommes pour la retraite. Malheureusement, les statistiques démontrent que l'ensemble des Canadiens n'en profitent pas suffisamment.

> Un peu moins de 6,3 millions de déclarants ont versé des cotisations à un régime enregistré d'épargne-retraite (REER) en 2007, une hausse de 1,6 % par rapport à 2006[13]. Les cotisations de ces déclarants ont augmenté de 5,3 % pour se chiffrer à 34,1 milliards de dollars. Ces données sont fondées sur les déclarations de revenus de 2007. En nombres absolus, la progression la plus marquée a été observée au Québec, où une hausse de près de 25 700 cotisants a été enregistrée. À l'échelle nationale, la cotisation médiane a été de 2 780 $[14]. Pour l'année d'imposition 2007, près de 88 % des déclarants avaient le droit de cotiser à un REER, soit la même proportion qu'en 2006. Mais de ce groupe de déclarants ayant le droit de cotiser, 31 % ont effectivement versé des cotisations, soit un taux qui est demeuré inchangé par rapport à 2006.

Les REER sont apparus le 14 mars 1957, l'objectif du gouvernement étant d'encourager la population à l'épargne en vue de la retraite. Comme l'indiquent les statistiques, ce n'est pas la majorité des travailleurs qui y cotisent. Beaucoup manquent de ressources financières, d'autres préfèrent vivre au jour le jour, certains n'y croient tout simplement pas.

La déduction fiscale initiale rend pourtant les REER intéressants. D'autant plus si l'impôt économisé au moment de la cotisation (selon le taux marginal d'imposition) est supérieur à l'impôt payé au moment du retrait (encore selon le taux marginal d'imposition). Le taux marginal d'imposition varie selon le revenu. Aussi, dans la mesure où les revenus ont tendance à être inférieurs à la retraite comparativement aux revenus de travail, il est possible que le taux marginal d'imposition à la retraite soit inférieur à celui qui est calculé au moment de la cotisation.

> **La majorité des gens font l'erreur de comparer le montant investi dans un REER avec celui qui est investi dans un placement non enregistré en ne considérant pas l'impôt.**

L'accumulation à l'abri de l'impôt est un autre facteur qui rend les REER intéressants. Aucun impôt sur les revenus générés durant l'accumulation du REER n'est exigible. L'impôt est payable uniquement au moment du retrait des sommes du REER.

Paul a droit annuellement à un boni de 5 000 $. Ce boni est évidemment imposable. S'il l'encaisse, il recevra seulement 3 000 $, parce qu'il devra payer l'impôt au taux de 40 %. Il a la possibilité de transférer directement son boni dans son REER. Dans ce cas, il n'aurait aucun impôt à débourser immédiatement.

Si Paul transfère directement les 5 000 $ dans son REER chaque année, il aura accumulé 66 034 $ à la fin de la dixième année (comme nous l'illustrons au tableau ci-dessous) avec un rendement de 5 %. S'il décide plutôt d'encaisser son boni de 5 000 $, de payer l'impôt de 2 000 $ et d'investir le solde de 3 000 $ dans des placements hors REER, la somme accumulée au bout de 10 ans sera de 35 423 $ en supposant le même taux de rendement et le même taux d'imposition.

CAS DE PAUL

ANNÉE	ACCUMULATION DANS LE REER Cotisation de 5 000 $/année	ACCUMULATION HORS REER Cotisation de 3 000 $/année
1	5 250 $	3 090 $
2	10 763 $	6 273 $
3	16 551 $	9 551 $
4	22 628 $	12 927 $
5	29 010 $	16 405 $
6	35 710 $	19 987 $
7	42 746 $	23 677 $
8	50 133 $	27 477 $
9	57 889 $	31 392 $
10	66 034 $	35 423 $

Hypothèses utilisées : cotisations faites en début d'année, rendement annuel de 5 %, taux marginal d'imposition de 40 %. La valeur du REER est donnée avant l'encaissement.

Si Paul retire ces sommes 10 ans plus tard, le retrait du placement hors REER ne sera pas imposable : il aura donc 35 423 $. Le retrait du REER, lui, sera imposable. En supposant le même taux marginal d'imposition que lors de l'accumulation, soit 40 %, Paul se retrouvera avec une somme de 39 620 $. Si son taux d'imposition est inférieur, Paul aura encore plus d'argent. Avec un taux marginal de 30 %, la somme disponible sera 46 224 $. ■

Combien peut-on cotiser au REER ?

Vous n'avez pas le loisir de déposer ce que vous voulez dans un REER. La cotisation permise dans un REER est de 18 % du revenu gagné l'année précédente jusqu'à concurrence d'un maximum (22 000 $ en 2010, 22 450 $ en 2011).

Ceux qui participent à un régime de retraite tel qu'un régime à prestations déterminées, un régime à cotisations déterminées, un RRS ou un RPDB se verront déclarer un facteur d'équivalence (FE) par leur employeur. Le FE, déclaré sur le T4 par l'employeur, réduit chaque année la cotisation permise au REER, parce qu'il y a une limite globale à l'épargne retraite à l'abri de l'impôt.

> **Le revenu utilisé pour calculer la marge au REER est constitué du revenu d'emploi, du revenu net d'entreprise (du travailleur autonome), de la pension alimentaire reçue moins la pension alimentaire payée[15] et du revenu net de location.**

Les cotisations au REER sont reportables jusqu'au 31 décembre de l'année de vos 71 ans[16]. C'est-à-dire que si vous ne cotisez pas le maximum disponible chaque année, la différence s'additionne d'année en année, et vous pourrez l'utiliser ultérieurement. On appelle ces cotisations cumulées les déductions inutilisées au titre des REER. La cotisation disponible de l'année s'ajoute aux déductions inutilisées des années passées et devient le maximum déductible au titre des REER, ce qui correspond au montant que vous avez le droit de verser dans votre REER pour l'année indiquée. Vous retrouverez sur votre avis de cotisation annuel du gouvernement fédéral le maximum déductible au titre des REER.

AVIS DE COTISATION DE LOUISE

DATE	NOM	NAS	ANNÉE D'IMPOSITION	CENTRE FISCAL
	Louise	123 456 789	2009	

État du maximum déductible au titre des REER pour 2010

Maximum déductible au titre des REER pour 2009.........15 000 $

Moins : cotisations admissibles à un REER

     déduites en 2009..5 000 $

Déductions inutilisées au titre des REER à la fin de 2009.....10 000 $

Plus : 18 % du revenu gagné en 2009,

     soit 50 000 $ = (maximum 20 000 $)...................9 000 $

         Moins : facteur d'équivalence de 2009.............5 000 $

Moins : facteur d'équivalence

     pour services passés net de 2009 ....0,00 $

Plus : facteur d'équivalence rectifié de 2009 ....0,00 $

Votre maximum déductible au titre

     des REER pour 2010 ....14 000 $ *(A)

Vous avez 0,00 $ (B) de cotisations inutilisées à un REER disponibles pour 2010. Si ce montant dépasse le montant (A) ci-dessus, vous pourriez avoir à payer un impôt sur les cotisations excédentaires.

Louise a 10 000 $ de déductions inutilisées, ce qui implique qu'elle n'a pas toujours cotisé au maximum à son REER dans le passé et qu'elle pourra cotiser ces 10 000 $ dans le futur. Durant l'année 2009, elle a acquis une nouvelle marge au REER de 4 000 $, qui sera disponible pour l'année fiscale 2010. La marge correspond à 18 % de son revenu gagné de 2009 moins le FE, soit 9 000 $ moins 5 000 $. Elle a un FE parce qu'elle participe à un régime de retraite auprès de son employeur. La nouvelle marge de 4 000 $ vient s'ajouter aux déductions inutilisées de 10 000 $. Elle pourra donc cotiser jusqu'à un maximum de 14 000 $ à son REER en 2010. Pour que sa cotisation REER soit déductible dans l'année fiscale 2010, Louise dispose de 60 jours après la fin de l'année 2010 pour la faire[17]. ◾

Sachez qu'il est possible de cotiser à un REER selon les droits de cotisations accumulés et de demander la déduction fiscale une autre année.

Quel est le moment idéal pour cotiser au REER ?

Idéalement, il faut cotiser au REER le plus tôt possible dans la vie et le plus tôt possible dans l'année.

Bien qu'il ne soit jamais trop tard pour cotiser, plus on commence jeune, plus les sommes accumulées seront intéressantes. Si vous avez 50 ans et que vous n'avez aucune épargne, une cotisation annuelle de 5 000 $ dans un REER vous permettra d'avoir accumulé 66 034 $ à 60 ans.

Jean et Jacques sont jumeaux. À l'âge de 30 ans, aucun des deux n'a cotisé à un REER. À ce moment, Jean décide de commencer à cotiser au REER 1 000 $ par année. Il cotisera durant les 10 années suivantes en prenant soin d'indexer sa cotisation, soit de l'augmenter selon l'inflation. Ainsi, l'année suivante, sa cotisation de 1 000 $ passera à 1 020 $ (car l'inflation a été de 2 %). De cette façon, il s'assure de cotiser le même pourcentage de son salaire annuellement, considérant que son salaire augmente également selon l'inflation. Son frère Jacques n'a pas été en mesure de cotiser durant ces 10 années. Il a commencé à cotiser à l'âge de 40 ans avec une cotisation de 1 219 $, considérant l'inflation. Il cotise aussi pendant 10 ans et cesse en même temps que son frère Jean. En valeur présente, les deux ont versé l'équivalent de 10 000 $ sur 10 ans. À l'âge de 60 ans, Jean (qui cotise tôt) aura accumulé une somme de 39 969 $ dans son REER et Jacques (qui cotise tard) aura accumulé 29 911 $. ▪

JEAN QUI COTISE TÔT ET JACQUES QUI COTISE TARD

	COTISATIONS		ACCUMULATION	
	Jean	Jacques	Jean	Jacques
30	1 000,00 $		1 050,00 $	
31	1 020,00 $		2 173,50 $	
32	1 040,40 $		3 374,60 $	
33	1 061,21 $		4 657,59 $	
34	1 082,43 $		6 027,03 $	
35	1 104,08 $		7 487,66 $	
36	1 126,16 $		9 044,52 $	
37	1 148,69 $		10 702,86 $	
38	1 171,66 $		12 468,25 $	
39	1 195,09 $		14 346,51 $	
40		1 218,99 $	15 063,83 $	1 279,94 $
41		1 243,37 $	15 817,02 $	2 649,48 $
42		1 268,24 $	16 607,88 $.	4 113,61 $
43		1 293,61 $	17 438,27 $	5 677,58 $
44		1 319,48 $	18 310,18 $	7 346,91 $
45		1 345,87 $	19 225,69 $	9 127,42 $
46		1 372,79 $	20 186,98 $	11 025,22 $
47		1 400,24 $	21 196,33 $	13 046,73 $
48		1 428,25 $	22 256,14 $	15 198,72 $
49		1 456,81 $	23 368,95 $	17 488,31 $
50			24 537,40 $	18 362,73 $
51			25 764,27 $	19 280,86 $
52			27 052,48 $	20 244,91 $
53			28 405,10 $	21 257,15 $
54			29 825,36 $	22 320,01 $
55			31 316,63 $	23 436,01 $
56			32 882,46 $	24 607,81 $
57			34 526,58 $	25 838,20 $
58			36 252,91 $	27 130,11 $
59			38 065,55 $	28 486,62 $
60			39 968,83 $	29 910,95 $

Il est préférable d'investir chaque année le même pourcentage de votre revenu au lieu d'investir une somme fixe. En investissant une somme fixe tout le temps, votre épargne devient de moins en moins importante au fil des ans. En investissant annuellement un pourcentage fixe de votre revenu dans votre REER, vous tiendrez compte de l'inflation.

Il est aussi recommandé de cotiser le plus tôt possible dans l'année afin de bénéficier du report d'impôt le plus longtemps possible. En fait, ce qu'il faut surtout éviter, c'est d'attendre la dernière minute, parce que cela ne vous laisse pas le temps de réfléchir. À la fin de février, la culpabilité qui vous incite à cotiser au REER vous fait prendre des décisions hâtives, particulièrement quant à l'investissement de ces sommes. Une stratégie inté-ressante consiste à cotiser régulièrement à votre REER par l'entremise des programmes d'épargne systémati-ques. Que ce soit par retenue à la source (dans le cas d'un REER collectif, par exemple) ou par un virement bancaire mensuel, la cotisation par prélèvement auto-risé vous évite d'oublier de cotiser ou de manquer de liquidités à la fin de février, ne paraît plus lorsqu'elle est intégrée à votre gestion courante et vous permet d'in-tégrer le marché de façon périodique.

■ LE DÉCAISSEMENT DU REER

Ce livre ne traite pas en détail du décaissement des sommes accumulées en vue de la retraite, mais prenons tout de même le temps d'énoncer certains principes de base qui vous aideront dans la planification de votre retraite.

Avec un REER, vous pouvez effectuer des retraits en tout temps. Si votre besoin de liquidités provenant de votre REER est permanent, vous pouvez aussi transférer votre REER en Fonds enregistré de revenu de retraite (FERR). Ce véhicule sera expliqué en détail plus loin.

Il est possible de transférer un REER en FERR et de transférer à nouveau le FERR en REER avant l'âge de 71 ans.

Comme le REER permet l'accumulation à l'abri de l'impôt des sommes qui y sont versées, le gouvernement impose une limite à cette accumulation, exige des retraits graduels à compter de l'âge de 71 ans et ne permet plus de cotisations au REER après cet âge. C'est à ce moment qu'il est temps de verser les impôts exigibles sur les sommes accumulées dans le REER. Il ne faut jamais perdre de vue que le REER, ainsi que tous les régimes décrits précédemment, permet une déduction fiscale et un report d'impôt, et non une élimination de l'impôt. Lors du décaissement de vos REER, peu importe sous quelle forme, vous devrez payer les impôts.

Le FERR

Au plus tard le 31 décembre de l'année de vos 71 ans[18], vous devrez obligatoirement transférer votre REER dans un Fonds enregistré de revenu de retraite (FERR) ou procéder à l'achat d'une rente, car l'État vous force à retirer des sommes annuellement de votre REER.

Dès l'année qui suit le transfert du REER au FERR, un retrait minimum doit être effectué du FERR. C'est à ce moment que le gouvernement récupère les impôts sur les sommes accumulées. Ce retrait minimum est basé sur le solde du compte au 31 décembre de l'année précédente et sur l'âge du rentier ou de son conjoint au 1er janvier de l'année. Le tableau suivant indique le retrait minimum exigé.

RETRAIT MINIMUM DU FERR

ÂGE DU RENTIER OU DU CONJOINT AU 1er JANVIER	TAUX DE RETRAIT EN POURCENTAGE DU SOLDE DU FONDS EN DÉBUT D'ANNÉE	ÂGE DU RENTIER OU DU CONJOINT AU 1er JANVIER	TAUX DE RETRAIT EN POURCENTAGE DU SOLDE DU FONDS EN DÉBUT D'ANNÉE
- de 71 ans	1/(90 - votre âge)	83	9,58 %
71	7,38 %	84	9,93 %
72	7,48 %	85	10,33 %
73	7,59 %	86	10,79 %
74	7,71 %	87	11,33 %
75	7,85 %	88	11,96 %
76	7,99 %	89	12,71 %
77	8,15 %	90	13,62 %
78	8,33 %	91	14,73 %
79	8,53 %	92	16,12 %
80	8,75 %	93	17,92 %
81	8,99 %	94 ans et +	20,00 %
82	9,27 %		

Le FERR étant la continuité du REER, à des fins fiscales, les revenus générés à l'intérieur du FERR continueront donc de croître à l'abri de l'impôt jusqu'à leur retrait.

Vous ne payez pas d'impôt lors du transfert du REER au FERR.

Lorsque vous avez cotisé à votre REER, votre revenu imposable a été réduit de la somme cotisée, et vous n'avez donc pas eu à payer d'impôt sur cette somme. De plus, les gains faits sur votre épargne pendant leur détention dans le REER n'ont pas été imposés. Le REER permet de différer de l'impôt, et non de l'éviter.

Pierre a accumulé 100 000 $ dans son REER. Cette somme a été transférée dans son FERR durant le mois de décembre de l'année dernière, car il a soufflé ses 71 chandelles au cours de l'année. Au 1er janvier de l'année prochaine, Pierre sera dans l'obligation de retirer 7,38 % du solde de son FERR. En supposant que le solde de son FERR est toujours de 100 000 $, Pierre devra donc en retirer 7 380 $ et évidemment payer l'impôt sur ce retrait.

L'année suivante, supposons que le solde de son FERR sera de 95 000 $ (100 000 $ moins 7 380 $ de retrait, plus des intérêts). Pierre sera dans l'obligation de retirer un minimum de 7,48 % de 95 000 $, soit 7 106 $. Mais s'il le désire, il pourra retirer des sommes supérieures à ces minimums obligatoires. ▪

Si vous n'avez pas réellement besoin de liquidités et que votre conjoint est plus jeune que vous, demandez à votre établissement financier d'établir vos retraits minimaux FERR en fonction de l'âge de votre conjoint. Cette stratégie vous permettra de réduire le pourcentage du retrait minimum requis. Les sommes accumulées resteront à l'abri de l'impôt plus longtemps.

Peu importe le type de revenu (intérêts, dividendes ou gain en capital) d'un REER ou d'un FERR, les retraits que vous y faites s'ajoutent à l'ensemble de vos revenus et sont imposables selon votre taux marginal d'imposition comme du revenu d'intérêt. Les avantages fiscaux des gains en capital et des dividendes gagnés dans un REER ou un FERR sont perdus. Vous trouverez plus de détails sur la fiscalité au chapitre 6.

La rente viagère

La rente viagère est une autre option pour le transfert de vos REER. Le choix d'une rente viagère est définitif. En fait, la rente viagère s'achète auprès d'une compagnie d'assurances. Le transfert de vos sommes accumulées sera utilisé afin de vous garantir une rente jusqu'à votre décès ; c'est le principal avantage d'une telle rente.

La rente fera en sorte de vous protéger contre le risque de survivre à votre capital. Elle vous permettra aussi de ne pas vous soucier des soubresauts des marchés boursiers.

Le principal inconvénient de la rente est que, dans le cas d'un décès «prématuré» ou à un jeune âge, la totalité des sommes transférées à la compagnie d'assurances émettrice de la rente sera généralement perdue pour votre succession. Pour contrer cet inconvénient, il est possible d'assortir la rente viagère d'une garantie en cas de décès. Évidemment, avec une telle garantie, le rentier recevra un montant mensuel moindre, mais la rente continuera à être payée après son décès.

Les garanties peuvent prendre la forme d'une réversibilité au conjoint ou d'une garantie sur une période de 5, 10 ou 15 ans. La réversibilité fait en sorte qu'une portion de la rente, par exemple 50 %, 60 % ou même 100 %, pourra continuer d'être versée au conjoint du rentier après son décès. La période garantie de 5, 10 ou 15 ans prévoit quant à elle que si vous décédez avant le terme de la garantie choisie, les prestations seront versées à vos héritiers jusqu'à la fin de cette période. Celle-ci débute toujours au moment du premier paiement de la rente.

Plus la garantie au décès sera généreuse, plus la rente sera petite.

Il est aussi possible de souscrire une rente viagère avec une garantie de remboursement de capital à votre décès. Au décès du rentier, ce type de rente retourne aux bénéficiaires le capital que le rentier avait investi, moins les rentes qu'il aura reçues.

> **Nul besoin de convertir la totalité de vos REER en rente viagère ! Vous pouvez très bien convertir une partie de vos REER dans une rente qui vous permettra de payer annuellement vos dépenses fixes et conserver le reste de votre capital dans un FERR duquel vous retirerez les sommes désirées en fonction de vos besoins tout en respectant le minimum requis. Finalement, il est important de considérer qu'une rente peut être achetée à tout moment. Vous pouvez convertir votre REER en FERR à 71 ans et, à 80 ans, vous acheter une rente.**

Rosanna, 65 ans, a acheté une rente viagère avec une garantie de 15 ans. Avec son capital de 100 000 $, elle recevra une rente de 7 100 $ par année jusqu'à son décès.

Si Rosanna décède à 74 ans, elle aura reçu 63 900 $, soit 7 100 $ par année pendant neuf ans. Le bénéficiaire qu'elle a désigné à son contrat recevra 7 100 $ pendant les six ans qui restent. Les sommes reçues par Rosanna et son bénéficiaire totaliseront 106 500 $, soit 7 100 $ pendant 15 ans.

Si Rosanna décède à 86 ans, elle aura reçu 149 100 $, soit 7 100 $ pendant 21 ans. Son bénéficiaire désigné ne recevra rien, puisque la période de garantie de 15 ans est échue au moment du décès de Rosanna. Dans un tel cas, Rosanna aurait fait un rendement de 49 100 $ sur son capital investi de 100 000 $. Un rendement de 49 100 $ sur 21 ans équivaut à 3,96 % de rendement par année. ■

Les rentes viagères gagneront en popularité et, sans l'ombre d'un doute, cette option devrait faire partie de la planification financière de votre retraite. L'espérance de vie allant en augmentant, la rente est une excellente option pour vous protéger contre le risque de survivre à votre capital de retraite et contre celui des placements. Il est évident que, si vous bénéficiez d'un généreux régime de retraite à prestations déterminées, vous avez déjà cette protection. Mais si la majorité de vos épargnes est sous forme de capital accumulé, vous devriez songer sérieusement à une rente viagère.

Les fonds distincts avec ou sans garantie de retrait

Un fonds distinct ressemble beaucoup à un fonds commun de placement[19], sauf qu'il est offert par l'entremise d'une compagnie d'assurances et qu'il garantit à l'échéance (généralement 10 ans, mais parfois la période est plus longue) et au décès que le titulaire (propriétaire) du contrat récupérera une partie (minimum de 75 %) ou la totalité de son capital, même si la valeur de ses placements a baissé entre-temps. Bien entendu, cette garantie entraîne pour l'investisseur un coût additionnel sous forme de frais de gestion annuels.

Il ne faut pas confondre la valeur d'une promesse de vous verser 100 000 $ dans 10 ans à celle d'une promesse de vous verser cette somme immédiatement. Une promesse de vous verser 100 000 $ dans 10 ans correspond plutôt à une valeur de 74 409 $ si les taux d'intérêt sont de 3 %. En effet, si vous placez 74 409 $ à 3 %, vous obtiendrez 100 000 $ dans 10 ans.

Moyennant d'autres frais annuels supplémentaires, il est possible d'ajouter (en plus des garanties à l'échéance et au décès) une garantie de retrait annuel aux fonds distincts. La somme des frais annuels peut alors atteindre 4 % au total.

Cette garantie varie selon les compagnies d'assurance, mais elle est généralement de 5 % du capital investi. La garantie de retrait est valide pour 20 ans si le rentier a moins de 65 ans, et à vie s'il a plus de 65 ans. Cette garantie est malheureusement souvent mal comprise. Les consommateurs confondent garantie de retrait avec garantie de rendement.

> **Un retrait annuel de 5 000 $ sur un investissement de 100 000 $ ne correspond pas à un rendement annuel de 5 %. Il faudra 20 ans pour que vous récupériez votre capital (5 000 $ × 20 = 100 000 $). Ne confondez pas garantie de retrait et garantie de rendement.**

Rose, la sœur jumelle de Rosanna, a 65 ans et investit 100 000 $ dans un fonds distinct avec une garantie de remboursement de son capital non reçu à son décès, en plus d'une garantie de retrait de 5 %, soit de 5 000 $ par année. Si Rose décède à 74 ans, elle aura reçu 45 000 $, soit 5 000 $ pendant neuf ans. Le bénéficiaire qu'elle aura désigné à son contrat recevra 55 000 $, soit la différence entre le capital investi et les sommes reçues par Rose.

Si Rose décède à 85 ans, elle aura reçu 100 000 $, soit 5 000 $ pendant 20 ans. Son bénéficiaire désigné ne recevra rien, puisque Rose a déjà reçu le montant garanti en entier.

Si Rose décède à 86 ans, elle aura reçu 105 000 $, soit 5 000 $ pendant 21 ans. Dans un tel cas, Rose aura fait un rendement de 5 000 $ sur son capital investi de 100 000 $, soit l'équivalent de 0,45 % de rendement par année.

Si toutefois les rendements obtenus par les gestionnaires sont suffisants pour compenser les frais de gestion élevés, Rose pourrait obtenir plus de 5 000 $ par an et augmenter conséquemment son rendement annuel.

Peut importe le rendement, sa sœur Rosanna est assurée d'obtenir 7 100 $ par an et de faire un rendement annuel de 3,96 % si elle décède à l'âge de 86 ans (voir la mise en situation précédente). ■

■ LES INVESTISSEMENTS HORS REER

L'épargne hors REER peut prendre plusieurs formes ; la caractéristique première de l'épargne hors REER, que ce soit de l'immobilier ou un portefeuille de placements, est que l'accumulation ne se fait pas à l'abri de l'impôt comme dans le cas du REER ou du CELI. Nous verrons plus en détail au chapitre 6 dans quelles situations l'épargne dans un CELI pourrait devenir prioritaire à l'épargne dans un REER, et le chapitre 9 comparera les différents types de placements hors REER.

■ VOTRE RÉSIDENCE

Devriez-vous considérer la valeur de votre résidence dans la planification de votre retraite ? Si vous vendez votre résidence, vous devrez assumer un coût de logement qui risque d'être plus élevé que les dépenses liées à votre résidence. Ce coût additionnel devra être considéré dans vos dépenses à la retraite. Par ailleurs, il est évident que, si vous avez l'intention de vendre une résidence devenue trop grande ou que vous en possédez deux et que vous en vendez une, vous dégagerez

des liquidités. Si vous ne réinvestissez pas ces liquidités dans une nouvelle résidence (maison ou condo),
ces sommes pourront être utilisées comme revenu de
retraite ou pour assumer vos dépenses de logement.
En planification financière de la retraite, la valeur de
la résidence sera normalement considérée comme un
fonds de derniers recours.

L'hypothèque inversée ou une marge de crédit hypothécaire fourniraient à un retraité les liquidités nécessaires pour combler un manque à gagner.

**L'hypothèque inversée est très certaine-
ment une solution de dernier recours pour
financer la retraite et n'est surtout pas une
solution universelle.**

L'hypothèque inversée

L'hypothèque inversée permet d'utiliser l'équité disponible (valeur marchande de la résidence moins toute
hypothèque) sur la résidence principale afin de combler
certains besoins financiers. Le Programme canadien de
revenu résidentiel offre la possibilité de contracter une
hypothèque sur votre résidence principale auprès de
votre institution financière. La particularité d'une hypothèque inversée est qu'il n'y a aucun remboursement
exigé sur le prêt hypothécaire du vivant du propriétaire. La valeur de la résidence servira à déterminer et
à garantir le montant de l'hypothèque[20]. Pour se qualifier à une hypothèque inversée, l'âge minimum est de
62 ans. Le niveau de financement dépendra de l'âge de
l'emprunteur, de son état de santé, des taux d'intérêts,
de la valeur de la propriété, de la situation familiale
et évidemment du marché immobilier au moment de
l'emprunt. Plusieurs frais doivent être prévus pour ce
procédé, comme les frais d'évaluation et d'hypothèque.

La marge de crédit hypothécaire

Une marge de crédit hypothécaire est un emprunt garanti par votre résidence pour lequel il est possible de ne verser que les intérêts.

> **La marge de crédit hypothécaire est aussi une solution de dernier recours pour financer la retraite, mais elle peut s'avérer plus flexible et moins coûteuse que l'hypothèque inversée.**

La marge de crédit permet un emprunt plus élevé que l'hypothèque inversée. En revanche, l'institution financière peut rappeler son prêt en tout temps et y mettre fin.

Ginette, 65 ans, qui avait des revenus annuels de 30 000 $, a élevé ses enfants seule et a réussi tant bien que mal à payer sa maison. Elle n'a évidemment pas eu la possibilité d'économiser pour sa retraite. Si elle vendait sa maison, elle utiliserait principalement le produit de la vente pour se loger. Comme elle préfère garder sa résidence, elle se retrouve donc avec deux possibilités : vivre avec les rentes de l'État seulement ou utiliser l'équité de sa maison pour générer des liquidités supplémentaires. Ginette pourrait hypothéquer sa maison, soit par une marge de crédit hypothécaire, soit par une hypothèque inversée. Si elle met en place une stratégie d'hypothèque, elle profitera de son pécule tout en conservant sa résidence. Toutefois, ses enfants n'hériteront pas de la valeur totale de la maison à son décès. Mais cela n'est pas un souci pour elle, puisque ceux-ci sont indépendants financièrement. ■

■ L'HÉRITAGE

Dans le cadre d'une planification financière de la retraite, un héritage potentiel pourrait être considéré, selon la probabilité qu'il se matérialise vite ou non. Étant donné que l'espérance de vie s'accroît, il est de plus en plus probable que l'héritage espéré arrive un peu tard. Il faut aussi être réaliste quant aux sommes attendues et au moment où ces sommes pourraient être reçues. Seul un héritage d'une valeur importante pourrait être considéré dans le cadre d'une planification de retraite.

■ LES AUTRES REVENUS

D'autres revenus pourraient s'ajouter à la liste des revenus de retraite décrits précédemment. Pensons aux revenus de location dans le cas où vous seriez propriétaire d'immeubles à logements, aux revenus de dividendes provenant d'une société ou aux revenus d'emploi à temps partiel dans le cadre d'un retour au travail après votre retraite. Ce dernier élément sera abordé plus en profondeur au chapitre 7.

■ VIVRE DE SON CAPITAL DE RETRAITE

C'est ici que ça se corse. Une fois à la retraite, vous devrez vivre des épargnes accumulées tout au long de votre vie. C'est pour ainsi dire commencer à vider le petit cochon que vous avez pris soin d'engraisser au fil des ans.

Il l'a été mentionné en introduction, cette situation peut engendrer de l'insécurité. Alors que durant toute votre vie vous avez travaillé, que des revenus entraient régulièrement, au moment de la retraite, vous ne devez compter que sur ce que vous avez accumulé. Ceux qui bénéficient d'un régime de retraite à prestations déterminées le moindrement généreux ne verront pas leur situation financière changer radicalement. Des revenus réguliers continueront d'entrer grâce à une rente viagère mensuelle. Ceux qui auront économisé dans un régime d'accumulation de capital ou qui comptent comme source de revenus seulement leurs épargnes personnelles devront accepter de voir le niveau de leurs économies baisser alors qu'ils avaient l'habitude de le voir augmenter. Le salaire sera tout à coup remplacé par des revenus de l'État, mais surtout des revenus d'intérêts de dividendes, et des retraits de capital provenant des épargnes hors REER et des REER.

Voir réduire les sommes accumulées au fur et à mesure qu'on avance en âge et que l'espérance de vie augmente est d'autant plus angoissant. C'est ici qu'une bonne planification de vos différentes sources de revenu accompagnée d'une stratégie de décaissement de vos épargnes accumulées vous permettra de vous rassurer.

■ ET SI J'AI ENCORE DES DETTES À LA RETRAITE ?

Il est évident que le fait d'avoir remboursé entièrement toutes vos dettes, incluant l'emprunt hypothécaire, au moment de votre retraite vous permettra une plus grande latitude et une indépendance financière considérable. Mais cela ne veut pas dire que ne plus avoir de dettes à la retraite est une obligation.

Au Québec, en 2005, les hypothèques représentaient 75 % des dettes des familles[21].

Prenons le cas d'un individu qui est locataire et qui n'a jamais été propriétaire d'une maison : il devra continuer de payer son loyer toute sa vie. Un nouveau retraité devra tenir compte des paiements qui continueront et du fait que le taux de remplacement de revenu requis, s'il a encore une hypothèque, sera probablement plus élevé que pour celui dont toutes les dettes auront été remboursées au moment de la retraite. Si vous comptabilisez ces données dans la planification financière de votre retraite, tout est possible. L'important est de bien faire vos calculs! Toutefois, ne prenez pas à la légère votre niveau d'endettement, car il pourrait avoir un effet sur votre bien-être physique et psychologique.

■ L'ENDETTEMENT ET LE STRESS : UN MÉLANGE EXPLOSIF POUR LA SANTÉ

Selon une enquête de la Coalition des associations de consommateurs du Québec (CACQ), peu importe l'âge, le sexe ou le degré de scolarité, les effets du stress financier sont les mêmes pour tous. Un individu aux prises avec des problèmes d'endettement, en plus de vivre de l'anxiété et d'être déprimé, risque de s'isoler. L'effet se fera aussi sentir sur le plan de ses relations. Au cours de cette enquête, 75 % des personnes interrogées ont constaté des conséquences sur leur vie familiale, 64 % ont vu leur vie de couple affectée et 67 % des répondants ont mentionné souffrir d'isolement et de repli sur soi. Tous ces effets peuvent amener une personne à développer des problèmes psychologiques, notamment une dépression. L'endettement est responsable de préoccupations et d'un haut niveau de stress. En prendre conscience vous amènera à mettre de l'avant des stratégies gagnantes et vous permettra de vivre une retraite harmonieuse dans l'équilibre de vos désirs et de vos avoirs.

> Votre voisin mène la grande vie et vous voulez faire pareil. L'herbe peut sembler plus verte chez le voisin, mais celui-ci est peut-être plus endetté que vous ne le pensez. De votre côté, préconisez les choix qui vous apporteront le moins de stress.

■ VOTRE RETRAITE : VOS REVENUS

Et vous, sur quels revenus pourrez-vous compter à votre retraite ? Plusieurs logiciels sont accessibles sur Internet afin de vous aider à faire votre projection de retraite. Nous vous suggérons le site MonPlan.ca, chapeauté par Question Retraite, un organisme à but non lucratif constitué de divers partenaires. Visitez également le <www.questionretraite.qc.ca>.

CALCUL DES REVENUS DISPONIBLES À LA RETRAITE

REVENU	OUI / NON	MONTANT ESTIMÉ PAR ANNÉE
SV (65 ans et plus)		
SRG (selon vos revenus et votre situation familiale)		
Allocation (selon vos revenus et votre situation familiale)		
RRQ (référez-vous à votre relevé de la RRQ)		
Régime de retraite à prestations déterminées (référez-vous à votre relevé de participation)		
Régime de retraite à cotisations déterminées ou REER collectif (référez-vous à votre relevé de participation)		
REER personnel (FERR) ou CRI (ou FRV)		
Revenus nets d'entreprise		
Dividendes d'une société de gestion		
Revenu d'un emploi à temps partiel		
Revenus de location		
Revenus totaux (avant impôts)		

Voici quelques questions supplémentaires qui vous permettront de vous situer dans la planification de votre retraite.

■ Combien les régimes publics vous octroieront-ils ?

- Participez-vous à un régime de retraite auprès de votre employeur ?
- Quel type de régime est offert par votre employeur ?
- Sur combien de revenus de ce régime pourrez-vous compter ?
- Combien devez-vous épargner pour atteindre vos objectifs ?
- Avez-vous suffisamment économisé ?
- Est-ce que vous pensez à vos problèmes financiers lorsque vous êtes au travail ?
- Est-ce que vous vivez des conflits avec votre conjoint à propos de l'argent ?

Au chapitre précédent, vous avez établi vos objectifs de retraite sur les plans humain et financier. Dans celui-ci, pour le moins aride, nous en convenons, nous avons tenté de vous expliquer chacune des sources de revenu sur lesquelles vous pourriez compter. Régimes publics, régimes de retraite privés, REER ou autres sources de revenus doivent être scrupuleusement répertoriés et quantifiés.

L'étape suivante consistera à soustraire l'impôt à payer sur l'ensemble de ces revenus et à voir si le résultat est suffisant pour combler votre coût de vie désiré.

Vous avez donc pris conscience des sources de revenu auxquelles vous aurez droit à la retraite et vous avez pris le temps de les répertorier ; nous espérons que cela vous a rassuré et que vous êtes (ou serez) prêt financièrement. Il est maintenant temps de passer à la prochaine étape et d'évaluer votre capacité psychologique à prendre votre retraite. Êtes-vous prêt sur le plan émotif ?

POINTS À NE PAS OUBLIER

■ Plusieurs sources de revenu seront disponibles à votre retraite ; prenez le temps de les analyser.

■ Prenez soin de bien comprendre votre régime de retraite.

■ Si vous vous qualifiez pour recevoir le Supplément de revenu garanti, vous devrez en faire la demande chaque année.

■ Votre relevé du Régime de rentes du Québec contient beaucoup d'informations importantes : faites-en la demande.

■ Il est souvent plus avantageux de demander votre rente de la RRQ dès votre admissibilité.

■ Il n'est jamais trop tard pour commencer à épargner dans un REER, mais mieux vaut commencer tôt.

■ Il est préférable d'investir chaque année le même pourcentage de votre revenu au lieu d'investir une somme fixe.

■ Une rente viagère permet de vous protéger contre le risque de survivre à votre capital.

■ Vous pouvez combiner le FERR et la rente viagère afin de profiter d'une garantie et de flexibilité !

■ Il n'est pas obligatoire d'avoir remboursé toutes vos dettes à la retraite. Par contre, n'oubliez pas que l'endettement peut être responsable d'un haut niveau de stress.

Chapitre 4

Êtes-vous psychologiquement prêt à prendre votre retraite ?

Les baby-boomers, qui devraient massivement quitter le marché de l'emploi au cours de la prochaine décennie, n'auront d'autre choix que de planifier adéquatement leur retraite, qui est un événement des plus importants de leur vie, afin de la vivre pleinement plutôt que de simplement y survivre.

Lors d'une étude de Statistique Canada publiée en 2005[22], 47 % des personnes interrogées ont affirmé qu'elles apprécient davantage leur vie depuis qu'elles sont retraitées, 41 % en retirent le même plaisir après la retraite qu'avant, et 12 % disent préférer la vie d'avant la retraite.

Toujours selon Statistique Canada[23], près des trois quarts des retraités (71 %) avaient fait des préparatifs non financiers. En revanche, plus du quart des retraités (29 %) n'avaient fait aucun préparatif. Le type de préparatif non financier le plus fréquent consistait à recueillir de l'information sur la retraite, ce qu'avaient entrepris près de la moitié des retraités (46 %). Plus du tiers (35 %) avaient développé un intérêt pour de nouveaux loisirs avant leur retraite. Plus du quart des retraités (27 %) s'étaient adonnés à de nouvelles activités sportives et une proportion plus grande d'entre eux (29 %) étaient devenus bénévoles en vue de leur départ du marché du travail.

Par ailleurs, un sondage national mené pour le compte du Groupe Investors révèle qu'environ le tiers des retraités, soit 30 % des Québécois (31 % au Canada), sont bien préparés financièrement pour la retraite, alors que seulement 4 % affirment être psychologiquement prêts à faire la transition vers le style de vie de retraité. Le sondage révèle également les lacunes suivantes :

■ 45 % des Québécois (30 % au Canada) n'ont pas d'activités où ils peuvent nouer de nouvelles amitiés en dehors du travail;

■ 42 % des Québécois consacrent moins de trois heures par semaine à des activités autres que le travail ou des loisirs passifs comme lire ou regarder la télévision.

Finalement, certaines variables semblent influencer favorablement l'appréciation de la retraite, notamment le fait d'être marié, d'être en bonne santé, de prendre une retraite anticipée et de l'avoir planifiée.

On peut donc constater que prendre sa retraite apporte des changements majeurs non seulement sur le plan des finances mais aussi sur celui de la vie personnelle. Voilà pourquoi la retraite mérite d'être planifiée sur tous les plans. La vie après le travail est une étape de votre vie encore pleine d'imprévus et d'inconnus. Opter pour un avenir positif en acceptant les pertes occasionnées par la retraite et en dirigeant son regard vers de nouveaux objectifs aide à cheminer et à éviter de « tomber » à la retraite.

On remet souvent à plus tard ce que l'on perçoit comme secondaire; se poser des questions existentielles en fait partie. Dites-vous qu'il vaut mieux commencer ce questionnement dès maintenant: votre préparation en sera améliorée.

■ LE TEST À L'AUBE DE LA RETRAITE[24]

Voici quelques questions générales à vous poser en prévision du passage à la retraite. Sans avoir une valeur scientifique, ce questionnaire n'en est pas moins pratique, et il vous aidera à vous sensibiliser à l'importance de cet événement dans votre vie.

Répondez aux questions et voyez où vous en êtes dans votre cheminement vers la retraite.

1. Dans combien d'années envisagez-vous de prendre votre retraite ?
    a) Dans environ 5 ans.
    b) Dans environ 10 ans.
    c) Dans 15 ans ou plus.

2. Quel est votre niveau de préparation à la retraite (lectures, cours, formations, rencontres individuelles, etc.) ?
    a) Je n'ai encore rien préparé.
    b) Je commence à me sensibiliser à cette nouvelle étape de ma vie.
    c) Je m'informe, j'assiste à des conférences et me prépare.

3. Avez-vous commencé à planifier votre retraite ?
    a) Non. Je n'ai fait jusqu'à maintenant aucune planification.
    b) Oui, sur le volet psychosocial OU le volet financier.
    c) Oui, sur les volets psychosocial et financier.

4. Quelle est la perception que vous avez de votre gestion du temps en tant que personne retraitée ?
    a) J'aurai beaucoup trop de temps libre !
    b) J'ai tellement de projets que je crois que je vais manquer de temps !
    c) Je crois que j'aurai un horaire équilibré.

5. Avez-vous dressé une liste de vos loisirs ?
    a) Non. Je ne sais pas ce que je ferai.
    b) J'ai quelques idées en tête, mais rien de précis.
    c) Ma liste de loisirs est bien remplie (bénévolat, sports, voyages…).

6. Comment entrevoyez-vous la venue de votre retraite?
    a) Ça m'angoisse énormément.
    b) La retraite pour moi est une remise en question.
    c) La retraite est synonyme de loisirs et d'occasions.
        La belle vie commence…

7. À la retraite, votre réseau social sera-t-il le même
    que présentement?
    a) Bien sûr! Je ne prévois pas de changer de réseau
        social.
    b) Je perdrai de vue quelques personnes de mon entou-
        rage, mais pas l'ensemble de mes connaissances.
    c) En prenant ma retraite, je suis conscient que mon
        réseau social risque de changer.

8. Avez-vous fait une planification commune de vos
    projets de retraite avec votre conjoint(e)?
    a) Jamais de la vie!
    b) On en parle un peu…
    c) Certainement, on les planifie ensemble. Depuis
        le temps qu'on rêve de ce moment!

9. Votre état de santé à la retraite vous préoccupe-t-il?
    a) Aucunement.
    b) J'ai quelques soucis… évidemment.
    c) Je consulte régulièrement mon médecin et je fais
        attention.

10. Croyez-vous qu'à la retraite il sera encore possible
    de réaliser pleinement vos rêves?
    a) Non, il sera trop tard, je serai trop vieux!
    b) Oui, mais je doute de la faisabilité de certains
        rêves.
    c) Bien sûr! Je pourrai enfin réaliser ce que j'ai plani-
        fié ou m'adapter à de nouveaux projets.

Si vous avez obtenu majoritairement des **A** – Attention, lorsque vous arriverez à votre retraite, ce sera le plus grand choc de votre vie. Vous devez absolument vous questionner et planifier cette étape.

Si vous avez obtenu majoritairement des **B** – Vous êtes sur la bonne voie, mais il vous reste du chemin à parcourir. Continuez votre démarche et concrétisez vos réflexions.

Si vous avez obtenu majoritairement des **C** – Félicitations! Vous avez une bonne planification pour votre retraite. Cependant, n'oubliez pas que vous devez adapter votre démarche en fonction des événements qui surviennent. Il y a toujours des petits ajustements que vous pouvez faire afin de vous épanouir davantage.

■ QUELQUES CONSEILS POUR UNE ADAPTATION OPTIMALE

Voici quelques conseils pour vous guider vers votre retraite et vous permettre d'apporter des ajustements dans votre vie dès maintenant. Il importe de noter qu'à la lumière de certains constats personnels chacun devra s'ajuster à sa propre réalité.

Un esprit sain dans un corps sain

Beaucoup de personnes ne savent pas se détendre et vivent une vie tellement active qu'elles oublient de prendre soin d'elles. À la retraite, vous aurez le temps de prendre soin de vous mais, si vous commencez dès aujourd'hui, dites-vous que l'habitude sera prise. Donnez-vous de saines habitudes; par exemple, pratiquez des activités physiques et octroyez-vous des moments de détente afin d'évacuer le surplus de stress.

À la retraite, vous pourrez continuer vos activités en les adaptant à vos besoins et à vos capacités. Vous n'êtes pas obligé de vous inscrire dans un gym. La marche est un exercice idéal qui, en plus de prendre soin de votre corps, vous donne le temps de prendre soin de votre esprit.

Vous n'êtes pas obligé de bouger constamment; vous pourriez par exemple pratiquer la méditation, la lecture, l'observation des oiseaux et, pourquoi pas, développer votre côté créatif par la peinture ou la sculpture. Questionnez-vous dès maintenant sur ce qui vous intéresse concernant vos passions et vos ressources financières. Quelles activités désirez-vous faire seul, et quelles sont celles que vous préférerez faire en couple? Quels loisirs nouveaux voudriez-vous tenter? Pour avoir un équilibre de vie, combien de temps voudriez-vous consacrer à chacune de vos activités? Quelles activités désirez-vous cesser de pratiquer?

Faites-vous plaisir sans culpabilité et intégrez la joie dans votre quotidien. Il est temps de penser à vos loisirs, et non pas uniquement à votre travail. Le surmenage diminuant les défenses immunitaires, investissez dès aujourd'hui dans votre santé et, si possible, commencez à ralentir le rythme dans votre vie professionnelle.

Il vous est sans doute déjà arrivé d'avoir au début de vos vacances un rhume qui témoignait de la fatigue accumulée. Imaginez quels effets pourrait avoir sur votre santé physique et psychologique le fait de vous arrêter subitement à la retraite sans avoir ralenti le rythme!

La retraite est un moment privilégié pour pratiquer des loisirs, puisque vous aurez enfin le temps de faire ce que vous avez toujours voulu.

Gérez votre temps ou, mieux encore, gérez votre horaire

Quel paradoxe! La retraite est une étape où normalement vous ne devriez plus avoir d'agenda. Détrompez-vous, car certaines personnes sont encore plus occupées qu'elles ne l'étaient quand elles endossaient le statut de travailleur. Enfin, vous pourrez faire le choix de privilégier certaines activités plutôt que d'autres, tout en continuant à vous épanouir dans les occupations qui vous apportent depuis longtemps une satisfaction personnelle ou une reconnaissance sociale. Vous devrez cependant apprendre à respecter vos limites, car vous risquez d'être constamment sollicité – par des amis pour faire des travaux, ou par vos enfants pour garder les leurs – puisque vous serez disponible.

Pour d'autres personnes, c'est l'inverse: elles ne sont pas ou ne désirent pas être si occupées.

En tant que travailleur, vous étiez à la recherche de précieuses minutes de temps libre. À la retraite, vous risquez de regarder passer ces minutes à ne plus savoir quoi en faire… Disposant de trop de temps, vous risquez de ne plus sentir l'urgence d'agir et de tout remettre à plus tard.

Le fait de vous donner des échéances et d'avoir un agenda pour certains projets que vous jugez importants vous aidera à concrétiser certaines ambitions.

Le temps passe vite et ne se rattrape pas ; autant profiter de chaque minute !

Vos regrets porteront sur ce que vous n'aurez pas eu la chance de faire, et non sur ce que vous aurez fait. Ne remettez pas à demain ce que vous pouvez faire aujourd'hui. Être proactif vous évitera d'avoir l'impression d'être passé à côté de vos passions ou de vos projets.

Renforcez la complicité dans votre vie de couple

Si vous êtes en couple, sachez établir et respecter vos
limites respectives. Une femme pourrait par exemple
aimer jouer au bridge avec des amies, alors que son
conjoint préférerait faire autre chose. Chacun peut poursuivre des activités individuellement. À la retraite, il est
sain que vous soyez ensemble tout en vous donnant l'espace nécessaire pour que chacun poursuive ses rêves,
car autrement le quotidien pourrait être lourd et difficile. Si votre relation de couple est fusionnelle, rien ne
vous empêche d'entreprendre des activités à deux, mais
tâchez de le faire sainement et modérément. Tout est une
question d'équilibre. Nous reviendrons sur ces aspects
au chapitre suivant.

Accompagnez vos enfants

Si vos capacités vous le permettent, peut-être voudrez-
vous profiter de votre retraite pour aider vos enfants,
que ce soit dans les travaux ménagers, les rénovations,
ou pour gâter vos petits-enfants… Peut-être voudrez-
vous simplement rattraper avec vos enfants le temps
perdu durant votre vie de travailleur. Le temps, autant
que l'argent, est un héritage précieux, et vous pourrez
décider de le partager tout de suite. Bien sûr, même si
vous désirez passer du temps avec vos enfants, il vous
faudra respecter leur horaire, car ceux-ci, toujours sur
le marché du travail, ont une moins grande disponibilité.

Permettez-vous des rapprochements significatifs avec vos petits-enfants

Rares sont les pères qui ont profité pleinement de leur
paternité. Et que dire des mères qui ont eu nombre
d'occupations à gérer et qui n'ont pas été en mesure de
savourer pleinement les étapes de croissance de leurs
enfants ? Pourquoi ne pas profiter de vos temps libres
à la retraite pour vous occuper de vos petits-enfants ?

Vous pourrez passer des moments de qualité avec eux. Cela vous permettra de retrouver votre cœur d'enfant et une partie de votre jeunesse. Plusieurs études ont démontré le rôle capital que jouent les grands-parents auprès de leurs petits-enfants. Si vous n'avez pas de petits-enfants, vous pourrez toujours vous occuper des enfants de votre entourage ou faire du bénévolat auprès des enfants de votre quartier, si le cœur vous en dit.

Préparez-vous à changer d'air

La maison est devenue trop grande à la suite du départ des enfants, vous vous sentez isolé dans votre résidence actuelle, vous aimeriez un environnement plus sécuritaire... Plusieurs raisons peuvent vous amener à remettre en question ce qui pouvait être tenu pour acquis : votre domicile. Déménager à l'extérieur du pays pourrait vous faire voir de nouveaux horizons ou vous faire bénéficier d'un climat plus favorable à votre santé, par exemple dans un condo en Floride, ne serait-ce que pour passer l'hiver. Déménager dans une résidence pour personnes âgées où vous n'auriez plus à vous occuper de rien pourrait combler votre besoin de sécurité, vous amener à côtoyer d'autres retraités et vous faire bénéficier d'activités organisées.

En pesant le pour et le contre de votre situation actuelle, vous choisirez peut-être de nouvelles avenues. Il vous faudra bien sûr faire le deuil de certaines habitudes, de la maison dans laquelle vous avez élevé votre famille, mais la vie est faite de deuils et de choix qui peuvent s'avérer des plus positifs.

Enrichissez votre cerveau

Qu'aimeriez-vous découvrir ou apprendre ? Avez-vous pensé qu'à la retraite vous pourriez être animé du désir d'acquérir de nouvelles connaissances dans des domaines aussi variés que le bricolage, les langues étrangères, les affaires politiques ? Pourquoi ne pas retourner sur les bancs d'école et acquérir un diplôme ? L'éducation n'est pas réservée aux jeunes, et personne n'est jamais trop vieux pour apprendre. Des formations sont également spécialement conçues pour les adultes[25].

De nombreuses études démontrent que les activités intellectuelles préviennent le vieillissement du cerveau. Commencez dès maintenant à explorer les possibilités en vous informant dans un centre local de formation des adultes, un cégep ou le service d'éducation permanente de l'université près de chez vous. On ne sait jamais, des études pourraient être le début d'une nouvelle carrière !

Donnez au suivant

Si vous avez envie de partager votre savoir-faire, il serait important de vous ouvrir à de nouvelles responsabilités. Exercer un rôle de mentor dans votre secteur d'activités professionnelles ou dans un autre domaine serait tout avisé. Pourquoi ne pas commencer à écrire sur un sujet qui vous passionne, à documenter vos savoirs ou à partager votre expérience afin d'en faire profiter les plus jeunes, tout en leur laissant une marge de manœuvre suffisante afin qu'ils puissent, à leur tour, expérimenter. C'est une valorisation certaine que de laisser une trace de votre parcours aux générations futures.

Vous pourriez également siéger à des conseils d'administration ou vous impliquer dans une association professionnelle. Ou encore, selon vos compétences et vos champs d'intérêt, vous pourriez vous impliquer dans des activités de bénévolat. Si vous désirez améliorer la vie de votre collectivité, si vous avez du temps à donner, si vous vous intéressez aux gens ou si vous êtes dévoué à une cause, ce genre d'activités peut être une importante source de gratification. Grand nombre d'organismes communautaires, de programmes de services sociaux, d'hôpitaux et d'organismes religieux peuvent avoir besoin de votre aide. Aussi, le fait de côtoyer d'autres bénévoles qui ont les mêmes intérêts que vous vous permettra d'élargir votre réseau social.

Ces quelques pistes pourront vous aider dans votre cheminement vers la retraite, car il importe avant tout de comprendre l'apport positif de la retraite, qui n'est pas fait que d'angoisse et d'incertitude.

■ LA PERTE DE REPÈRES ET LA DÉPRIME

À la retraite, fini l'obligation de se lever tôt, fini les heures dans les embouteillages, fini les horaires surchargés, fini les lunchs au bureau avec les collègues. Ce sera une coupure avec la routine, comme les vacances, mais à plus grande échelle. La perte de repères peut être libératrice tout autant que déstabilisante. Cependant, comme votre retraite a des chances d'être plus longue que vos vacances, l'excitation du début peut facilement tourner à l'ennui et à la déprime si vous ne vous êtes pas bien préparé mentalement. Comment savoir si vous êtes prêt?

Il est impératif dans un premier temps d'accepter de vieillir. À beaucoup de personnes qui n'y sont pas préparées, le vieillissement fait peur. Alors, comment s'y faire? En s'y prenant à l'avance, encore une fois. En acceptant qui vous êtes, avec vos forces et vos limites, vous accepterez mieux les changements; car vous ne pouvez pas arrêter le temps qui passe. Vous devez également avoir la volonté de ralentir. Vous devrez vous créer une nouvelle vie avec vos propres règles du jeu. Les impacts de la retraite sur les plans personnel et émotif sont étroitement

liés aux concepts de confiance en soi et d'estime de soi.
Ces aspects peuvent être ébranlés lorsque vous sortez
de votre zone de confort trop rapidement.

Votre préparation à la retraite est un moment privilégié qui vous sert à établir un nouveau projet de vie, lequel deviendra en soi votre nouvelle routine et vous permettra de trouver un équilibre adapté.

■ LA RETRAITE : UN INVESTISSEMENT ÉMOTIONNEL

Le passage à la retraite est l'une des dernières transitions psychosociales majeures du développement de l'adulte. Les quatre principales raisons de prendre sa retraite sont :
■ la volonté de se consacrer à ses rêves et ses projets ;
■ la pression de l'employeur ;
■ le stress lié au travail ;
■ des circonstances telles que la retraite du conjoint, la maladie, les soins aux parents âgés.

Pauline, qui à 58 ans est en congé de maladie pour stress lié au travail, vient de recevoir une offre de retraite anticipée. Au lieu de percevoir cette annonce de façon négative, elle y voit une occasion de réaliser les rêves qu'elle a longtemps mis de côté. Comme Pauline a une perception positive de cette offre, il en ira de même de sa retraite à long terme.

Jacques, 62 ans, qui a reçu cette même offre de retraite anticipée, a quant à lui réagi négativement parce qu'il a l'impression d'être rejeté après tant d'années de loyaux services. ■

La raison de votre départ à la retraite et la perception que vous en aurez au premier abord aura un impact certain sur votre satisfaction à plus long terme.

La retraite, si elle est consacrée à de nouveaux défis et à de nouvelles activités, peut contribuer à une satisfaction globale plus élevée. Malheureusement, pour certains, la retraite peut occasionner un sentiment de détresse, voire des difficultés d'adaptation, entraînant des conséquences sur la santé physique et psychologique.

Vous n'avez pas de contrôle sur la façon dont surviennent les événements, mais vous pouvez maîtriser votre façon d'y réagir.

■ LE PASSAGE À LA RETRAITE ET SES EFFETS

Est-ce qu'on peut penser que certaines facettes de la vie sont plus touchées que d'autres lors du passage de la vie active à celle de retraité ? Pour répondre à cette question, essayons d'en comprendre la complexité.

Vous n'êtes pas fait de petits compartiments dissociés, comme le milieu du travail vous l'a peut-être trop souvent laissé croire. Vous êtes un tout. Imaginez un jeu de dominos où vous alignez les pièces... Si vous en faites tomber une, les autres vont inévitablement tomber aussi. De la même manière, votre retraite occasionnera divers bouleversements dans votre vie. Votre réseau social, votre vie familiale, vos émotions et votre état d'esprit en seront tous affectés.

La retraite : un événement stressant

Même si vous percevez le fait de prendre votre retraite de façon positive, sachez que c'est l'un des événements les plus stressants de la vie, car il apporte inévitablement son lot d'incertitudes.

Thomas Holmes et Richard Rahe ont listé en 1967 divers événements de la vie et y ont associé un niveau de stress. Ces chercheurs ont démontré qu'il existe un lien entre les changements dans une vie et le déclenchement de maladies comme la dépression, les problèmes médicaux mineurs, etc. Voici un résumé de cette échelle.

ÉCHELLE D'ÉVALUATION SOCIALE DE SITUATIONS STRESSANTES

NIVEAU DE STRESS (SUR 100)	SITUATIONS DE LA VIE
100	Décès du conjoint
73	Divorce
63	Décès d'un proche parent
60	Ménopause
53	Maladie ou blessure personnelle
50	Mariage
47	Congédiement
45	Retraite
39	Difficultés sexuelles
38	Changement de situation financière
37	Décès d'un ami proche
35	Dispute avec son conjoint
31	Hypothèque élevée

Source : Échelle d'évaluation sociale de situations stressantes de Thomas Holmes et Richard Rahe (1967)

Vous comprendrez que la combinaison de plusieurs événements causant un niveau élevé de stress peut avoir un effet multiplicateur sur l'état de santé. Des incertitudes et des changements moins importants peuvent additionner leurs effets négatifs. Attention : le stress et l'incertitude sont des freins à votre bonheur.

Les changements engendrés par la retraite

Pour la plupart des gens, la retraite est une étape qui s'inscrit dans la continuité de leur vie d'adulte. Ces personnes sont généralement psychologiquement prêtes à prendre leur retraite, car ils y ont pensé. Pour d'autres, la retraite n'existe pas ; elles n'y pensent même pas. Alors quand la retraite arrive subitement et dans un esprit de rupture, ces gens-là ne sont pas prêts psychologiquement, et cela malgré leur âge.

Rolland, un entrepreneur de 58 ans, a à cœur l'entreprise familiale dans laquelle il s'investit corps et âme depuis plus de 40 ans. Suivant les traces de son père, il est devenu un fervent défenseur de la semaine de travail de 60 heures. Le vendredi soir, il rêve du lundi matin, et c'est sans compter le travail qu'il accomplit pendant le week-end. Il n'a aucun réseau social. Il entre chez lui pour dormir ; ses seuls sujets de conversation tournent autour de son entreprise, qu'il connaît par cœur pour y avoir passé les deux tiers de sa vie. De toute évidence, la retraite, c'est pour les autres ! De son côté, sa femme Estelle, qui a l'habitude d'être « seule », multiplie les soupers avec les copines. Toutes les occasions sont bonnes pour sortir. Très autonome, elle a un vaste réseau social. Pour elle, la retraite sera facile, elle la prépare déjà activement. Cependant, elle se questionne sur sa future vie de couple, quand elle et son mari se retrouveront tous les jours ensemble.

Bien que Rolland ne s'inquiète pas de sa retraite, car il n'a pour le moment aucune envie de la prendre, il lui faudra tôt ou tard s'y préparer et se poser les mêmes questions que sa femme. ■

Si vous êtes actuellement en couple et que vous désirez poursuivre votre route avec votre douce moitié, mieux vaut vous y préparer à deux.

Stabilité ou conflit familial à la retraite ?

Si vous imaginez que la vie familiale sera l'aspect le plus stable de votre retraite, détrompez-vous ! C'est sur votre vie familiale que les effets de la retraite seront les plus importants. Inévitablement, un changement va survenir dans votre vie familiale : vous vous retrouve-rez 24 heures par jour, 7 jours par semaine en couple, sur une période beaucoup plus longue que celle des vacances estivales ! La majorité des couples retrai-tés se retrouvent ensemble aussi longtemps pour la première fois.

Quand vous allez vivre sans les enfants, quand votre conjoint envahira votre espace, quand vous vous senti-rez obligé de faire des activités en couple, quand vous ne ferez pas exactement ce qui est attendu de vous, car l'autre procède autrement, vous sentirez-vous à l'aise et heureux ?

Votre identité sociale à la retraite

Une fois à la retraite, votre identité sociale changera : vous serez tout simplement vous-même, sans titre profes-sionnel. L'impact sera plus grand si votre identité est fortement liée à votre travail. Vous pourriez également sentir que le regard des autres sur vous change. Si vous percevez votre retraite comme un retrait au sens le plus négatif, vous pourriez avoir l'impression de perdre de la valeur aux yeux des autres, de ne plus apporter à la collectivité ou d'être exclu.

La retraite risque d'être perçue comme un boulever-sement plutôt qu'une continuité ; vous pourriez même être tenté de ne pas la prendre du tout. L'idée est de la concevoir comme une modification de statut, et non comme une perte de statut. D'ailleurs, rien ne vous empê-che de continuer à travailler si le travail vous comble et répond à vos véritables besoins. Nous aborderons ce volet dans un chapitre ultérieur.

Votre attention doit se tourner vers la perception de votre propre valeur, la continuité de votre contribution à la communauté et la recherche d'un équilibre si vous voulez aborder le changement d'un point de vue positif et vivre vos passions.

Votre identité sociale : comment vous y retrouver ?

Au-delà de votre identité professionnelle, vous êtes une personne à part entière, avec des valeurs et des intérêts personnels. Il semblerait que les femmes soient conscientes de ce fait davantage que les hommes. De façon générale, elles s'adaptent plus facilement au changement grâce à leur polyvalence et à la diversité de leurs intérêts. Selon l'Institut de la statistique du Québec, gagner sa vie est la principale activité des hommes, tout de suite après regarder la télé ! Pour les femmes, le travail arrive en septième position, après la télévision, les visites et les soupers chez les amis, les parents, la marche, la lecture, les jeux et le magasinage[26].

Il peut vous sembler difficile de vous retirer de la vie active, vous qui avez vécu dans une société de performance et d'efficacité telle que la nôtre. C'est en vous demandant qui vous êtes en dehors de cet univers compétitif que vous arriverez à retrouver votre estime et votre équilibre.

Robert a toujours su qu'il était très habile manuellement. Tout au long de sa vie, il s'est occupé de travaux de bricolage et de construction ici et là. Un jour, un de ses enfants lui a demandé s'il accepterait de l'aider dans la construction de sa maison et de superviser les travaux. Il s'est vite découvert une véritable passion. Il a donc décidé de proposer ses services à son entourage pour faire des travaux de rénovation. Il a même partagé sa passion avec son épouse. Cette dernière ayant toujours décoré avec beaucoup de goût, elle a décidé de suivre des cours de décoration intérieure afin de pouvoir bonifier le travail de son mari en proposant des idées d'aménagement. Ils envisagent même de créer une entreprise ensemble. ▪

Votre réseau social : pertes ou « tsinamis » ?

Malheureusement, trop peu de gens se rendent compte que, une fois à la retraite, ils subiront la perte d'une grande partie de leur réseau social. La composition de votre réseau social pourrait se modifier lors de votre retraite, surtout si celui-ci est lié au travail. Ce ne sont pas tous vos collègues ni tous les membres de votre entourage qui prendront leur retraite en même temps que vous ! Qui partagera vos passions ? Avec qui allez-vous discuter une fois que vous aurez quitté votre emploi ? Si vos seuls amis sont vos collègues de bureau, vous risquez de vous retrouver seul une fois retraité.

À l'inverse, vous pourriez vivre ce que nous appelons un vent de « tsinamis ». Ce phénomène est inspiré du tsunami, qui est une vague géante de grande amplitude provoquée par un tremblement de terre sous-marin ou une éruption volcanique sous-marine. Reporté dans le contexte de la retraite, le « tsinamis » correspond à une vague d'amis qui vous monopolisent ou que vous envahissez. Ce phénomène est provoqué par une insécurité profonde face à votre retraite et aux incertitudes qui y sont associées.

Face à ce phénomène de « tsinamis », comment allez-vous trouver du temps de qualité pour atteindre vos objectifs tout en socialisant avec tout ce monde ? Commencez par examiner votre réseau social. Sélectionnez dans votre entourage ceux qui partageront votre quotidien et vos activités.

Si la vague emporte une grande partie de votre entourage et que vous vous retrouvez seul, sachez qu'il existe des groupes de personnes retraitées avec qui vous pourrez échanger et partager des activités.

■ SENTIR TOUT À COUP QU'ON DEVIENT VIEUX !

Vous pouvez percevoir votre retraite comme l'heure de la délivrance, mais le mot « retraite » en soi peut aussi vous donner l'impression de vous isoler, de vieillir ; tout cela peut évidemment engendrer des peurs qui freineront votre préparation à la retraite.

Autrefois, on ne prenait pas sa retraite. On vieillissait doucement chaque jour. On ne se retirait pas de la vie active. On faisait des travaux utiles selon ses capacités pour subvenir aux besoins de sa famille et de la collectivité. On n'était pas soudainement exclu de la vie sociale. L'expérience acquise pendant une longue vie de dur labeur pouvait servir. La vieillesse était synonyme de sagesse, de maturité et d'expérience. Aujourd'hui, être à la retraite, c'est arriver à un âge avancé où on est exclu de la vie active. Le fait qu'on associe généralement le mot « vieillir » au mot « retraite » peut en choquer plus d'un, car on a l'impression que le potentiel de l'individu arrive à une date de péremption. Pourtant, tout dépend des expériences, de la vision et de la façon d'être de chacun.

Regardez autour de vous. Les gens de votre entourage qui sont « tombés » à la retraite avant vous agissent-ils en vieux ou en jeunes ? Sont-ils actifs ou passifs ? Leur expérience de retraités va certainement influencer la vôtre. Mais si, à l'aube de votre retraite, vous vous considérez déjà vieux, vous allez devoir faire des efforts pour changer votre perception.

> Gisèle est ambivalente face à sa retraite. Elle a vu son amie Claudette devenir vieille et inactive, et ressasser des pensées très négatives sur le vieillissement. Par ailleurs, elle envie son amie Louise, qui n'a jamais de temps tellement elle est occupée depuis son départ à la retraite. Petits voyages, cours de danse, jardinage,

marche en groupe... Elle est méconnaissable et paraît plus épanouie que jamais. ■

Commencez à dresser le bilan de votre vie active en prenant du recul par rapport à votre travail. Cela vous aidera à concevoir la retraite comme une modification de la routine plutôt que comme un cataclysme. On vous a longtemps parlé de vos états financiers, mais qu'en est-il de votre bilan de vie ? De vos actifs (ce que vous avez réalisé) et de vos passifs (le potentiel qui sommeille en vous depuis si longtemps) ? Si vous avez des talents d'artiste, vous pouvez réaliser un *scrapbook* de votre vie professionnelle avec photos à l'appui ! Peu importe la manière dont vous vous y prenez, l'exercice du bilan vous permettra de reconnaître vos compétences et, qui sait, vous fera peut-être découvrir des forces et des qualités que vous aviez oubliées. Ces forces, vous pourrez les mettre à profit dans des projets que vous réaliserez sans pression, par simple plaisir.

La retraite est un synonyme de vieillissement pour certains et de nouvelle jeunesse pour d'autres.

■ LE RÊVE DU PREMIER JOUR DE VOTRE RETRAITE

Vous avez des rêves de retraite, certes, et vous avez peut-être même imaginé le jour J de son commencement. Comment entrevoyez-vous la journée de votre départ à la retraite ? Allez-vous louer une limousine pour votre dernière journée au travail ? Prendrez-vous l'avion à la fin de la journée pour aller célébrer dans un endroit exotique ? Pour amorcer votre retraite, il faudra marquer une transition. Vous préparer au jour J minimisera le choc et facilitera votre adaptation. Maintenant, projetez-vous au lendemain du premier jour de votre retraite…

Vos rêves de retraite sont-ils réalistes ou non?

Toute votre vie, vous avez rêvé de votre retraite, mais une fois arrivé à cette nouvelle étape de votre vie, de quoi rêverez-vous? D'un condo en Floride, d'un chalet au bord d'un lac, de faire le tour du monde, de jouer au golf tous les jours, de jouer au bridge, de vous mettre à la peinture ou à l'écriture? Voilà quelques exemples de rêves que vous pouvez chérir. Ces rêves sont importants et constituent vos objectifs de retraite. S'ils sont planifiés, ils seront sans doute réalisables.

Profitez de chaque instant du reste de votre vie, réalisez «enfin» certains de vos rêves ou imaginez-en des nouveaux; voilà ce que la retraite devrait vous apporter.

Bien qu'on vous encourage à rêver, vous devez aussi être réaliste. Il serait faux de croire que vous allez jouer au golf tous les jours de l'année sous un climat qui compte quatre saisons, que vous vous mettrez à voyager une fois à la retraite si vous n'avez jamais voyagé de votre vie, ou encore que vous allez devenir un aventurier impulsif si la moindre nouveauté vous a toujours demandé un grand effort d'adaptation.

Si votre retraite ne se passe pas comme vous l'aviez espéré, comment vivrez-vous cette nouvelle transition?

■ LES TURBULENCES QUI VOUS DÉSTABILISENT

La retraite peut entraîner son lot de perturbations, et ce, même si vous aviez tout planifié dans les moindres détails. Les turbulences financières, par exemple, peuvent mettre vos rêves en péril. Voilà pourquoi il est important

de vous préparer psychologiquement en élaborant différents scénarios possibles afin d'être en mesure de vous
ajuster en cours de route et de ne pas vous entêter dans
une seule avenue.

**Il est préférable d'avoir plusieurs petits
rêves réalisables qu'un seul grand rêve
inatteignable !**

Analysez aussi votre situation financière avec réalisme.
Et ne soyez pas déprimé ! Si vous constatez que vous
ne pourrez pas vous offrir votre condo, mais que vous
aviez pensé à une deuxième option, soit l'achat d'une
roulotte, allez-y donc avec votre plan B.

Les turbulences sur le plan humain peuvent également avoir un impact sur votre retraite. Nul ne peut
prévoir l'avenir. La maladie, le retour d'un enfant à la
maison et le deuil du conjoint sont des exemples d'événements imprévisibles. Au même titre que vous incluez
des clauses dites « catastrophe » dans votre testament ;
il est souhaitable de faire de même dans la préparation
de votre retraite.

Si vous avez pris le temps de vous projeter dans l'avenir et de vous imaginer à la retraite, vous aurez davantage
de facilité à vous ajuster à un événement bouleversant
venant déstabiliser vos projets.

■ **UN CHANGEMENT QUI SE VIT
EN PLUSIEURS ÉTAPES**

Passer à la retraite est un changement majeur dans la
vie, qui par définition évolue et se modifie constamment. C'est un bouleversement ou un renouvellement.
Il a pour caractéristique de commencer par un deuil
et d'être échelonné dans le temps. Le changement est

imposé ou choisi, et chaque personne le vit de façon différente.

La perte de votre statut de travailleur, de votre salaire, de vos collègues de bureau et de votre routine sera compensée par un gain de liberté et de temps, et par des revenus de sources différentes.

Cependant, avant d'atteindre l'épanouissement, vous passerez par quatre phases, soit l'euphorie ou la panique, la transition, l'engagement et enfin l'appropriation. La durée et l'intensité de ces phases varient d'une personne à l'autre.

La phase de l'euphorie ou de la panique

C'est l'étape qui indique qu'un changement s'est amorcé; elle se vit de façon consciente ou non. Si vous êtes en mode panique, il y a fort à parier que vous ne serez pas tout de suite conscient que vous vivez un choc.

> Denise, âgée de 55 ans, apprend qu'elle sera bientôt mise à pied à la suite de coupures draconiennes dans le personnel. Son employeur lui a fait une offre de retraite anticipée, mais elle n'a jamais planifié sa retraite. Pour sa part, Luc, son collègue qui a le même âge et qui est lui aussi victime de cette mise à pied, avait commencé à planifier sa retraite depuis longtemps; il avait même envisagé de devenir consultant. ■

Pour certains, la retraite apparaît comme le fait d'être libéré du marché du travail, ce qui provoque de l'euphorie. Pour d'autres, la retraite signifie davantage un rejet et une mise au rancart, ce qui provoque la panique. Dans certains cas, si la panique prend toute la place, elle risque de se transformer en dépression.

Il est également possible qu'un individu passe de la panique à l'euphorie, ou inversement.

Rolland était fatigué de s'investir autant dans son travail. Un beau matin, il a décidé qu'il cessait toute activité professionnelle, et il s'en est tout de suite senti soulagé. Il est parti en voyage avec son épouse pour rattraper les vacances qu'ils avaient souvent négligées à cause du travail. Mais après un an et demi, il prend conscience que ses lunchs d'affaires lui manquent, il se sent différent, regrette la prestance qu'il avait lorsqu'il portait un complet. Il commence à ressentir un manque par rapport à son ancienne vie de dirigeant. Étant moins sollicité, il se questionne sur cette perte d'identité et ce nouveau besoin de valorisation. ▪

Les deux états, l'euphorie et la panique, peuvent être vécus simultanément ou à intervalles variables. Selon certaines statistiques, une période moyenne de deux ans est nécessaire avant que les choix effectués en vue de la retraite se concrétisent. Durant cette période, des questionnements peuvent revenir en force et vous obliger à vous repositionner selon les aléas de la vie.

Prendre conscience de votre perception de la retraite et commencer à envisager celle-ci sous l'angle de la continuité vous conduira vers la prochaine phase, car vous cesserez d'avoir des regrets.

La phase de la transition

La transition est la deuxième phase de la retraite. Elle est le pont à franchir pour atteindre les autres phases. Ainsi, l'étape de la transition donne à tout nouveau retraité le sentiment d'être désorganisé. Que faire maintenant ? Il faut chercher un sens à cette nouvelle vie. Et cette période peut être très chargée sur le plan affectif.

Denise, qui s'est retrouvée chez elle du jour au lendemain en prenant sa retraite, se sent bien isolée. Elle s'ennuie de ses échanges avec ses compagnes de travail, se sent inutile, tourne en rond et se morfond. Son conjoint veut lui changer les idées et l'invite à partager ses activités, mais Denise préfère éviter de faire des rencontres, car elle ne saurait pas répondre à la question : « Que faites-vous dans la vie ? » ▪

Durant la phase de transition, il n'est pas rare de constater que la communication avec les autres devient difficile. À cause de leur émotivité ou de leur perte de repères, certaines personnes peuvent avoir tendance à envahir les autres ou au contraire à s'isoler. Échanger avec des amis de confiance, discuter avec votre conjoint ou votre famille, sans abuser de leur temps, bien sûr, peut vous permettre d'entrevoir diverses avenues à explorer. Sachez que cette étape est cruciale et qu'il est néces-saire de vous poser les bonnes questions ; profitez des bons conseils de vos proches.

Outre la communication, le temps est aussi un facteur déterminant dans cette phase. Vous devrez vous laisser le temps de vous adapter à votre nouvelle vie.

Pour vous aider dans votre cheminement personnel, examinez les sphères de votre vie qui doivent être au cœur de vos préoccupations.

C'est ainsi que vous vous questionnerez sur votre transition professionnelle, votre intégration sociale, votre bien-être personnel et physique. Cela vous permettra d'établir vos objectifs et de vous ajuster, au besoin. Le fait de vous interroger vous permettra de vous mettre en contact avec vos émotions et vos perceptions afin de bien vous positionner pour atteindre votre accomplisse-ment, l'actualisation de soi, tel qu'il a été vu au chapitre 2 dans la hiérarchie des besoins selon Maslow.

Votre questionnement vous amènera vers un nouveau printemps. Quand vous aurez repris le goût d'explorer et de relever de nouveaux défis, vous saurez que vous êtes dans la troisième phase de votre retraite.

La phase de l'engagement

L'engagement est la troisième phase de la retraite. De vieux rêves ressurgissent soudainement. Laissez-vous aller ! Avant de freiner vos ardeurs, informez-vous, évaluez la faisabilité de vos projets et consultez votre entourage. Il est très important de ne pas étouffer vos rêves.

> Denise avait de plus en plus l'impression d'être seule à vivre sa retraite avec autant d'angoisse. Elle a commencé à lire des livres sur le sujet. Grâce à l'oreille attentive d'une amie de longue date rencontrée par hasard à l'épicerie et avec qui Denise a renoué, elle a réussi à reconnaître ses frustrations et ses craintes. À force de se pencher sur la question, Denise en est venue à démontrer le désir de s'ouvrir à de nouveaux horizons et de faire des essais.
>
> Elle s'est finalement inscrite à des cours de danse sociale, une passion qu'elle avait depuis toujours ; elle en faisait un peu chaque semaine quand elle travaillait. Faute de temps, elle ne s'y était jamais investie à fond. Après quelques cours, constatant son talent inné pour la danse, son professeur lui a proposé de l'aider à devenir elle-même professeure de danse. ■

La phase de l'appropriation

La dernière phase de la retraite, soit celle de l'appropriation, confirmera que vous avez enfin trouvé votre voie et que vous continuez à vous épanouir durant votre retraite. Vous pourrez vous vanter d'avoir une retraite accomplie quand votre routine comportera des éléments rattachés à votre nouveau style de vie, par exemple de nouvelles activités en couple, de nouveaux défis, etc.

> Après avoir été professeure quelque temps, Denise s'est fait offrir de donner des cours adaptés aux personnes âgées sur un bateau de croisière. Après en avoir

discuté avec son mari, elle a décidé de se lancer dans ce nouveau défi. Elle et son conjoint ont beaucoup de plaisir à imaginer des chorégraphies que Denise reprend dans ses cours. ▪

Votre perception de la retraite, votre entourage et la progression de votre questionnement détermineront la durée et l'intensité de chacune de ces phases. Au fil de ce processus, un des dangers auquel vous vous exposez est de rester accroché à la phase de transition en ressassant le passé ou en attribuant la faute de votre retraite ratée à une tierce personne telle que votre ancien employeur ou votre conjoint.

La réalisation de chacune des phases ne se fait pas nécessairement dans l'ordre présenté. Il peut arriver que des événements vous obligent à retourner à une phase en particulier.

Au cours des différentes phases, votre faculté d'adaptation devient un enjeu clé pour poursuivre votre épanouissement personnel. Pour arriver à jouir de votre retraite, il vous faudra prendre les événements et les situations nouvelles en compte, vous questionner sans vous étourdir et éviter de remettre vos projets à plus tard.

▪ MAIS ENCORE...

La retraite peut s'avérer la meilleure phase de votre vie, si l'on considère que les êtres humains ne cessent d'évoluer, de se développer et de changer. Soyez positif et dites-vous qu'il n'y a pas de limites aux expériences que vous pouvez vivre et aux connaissances que vous pouvez acquérir.

Ne soyez pas un «décrocheur» de la retraite; souvent, nos limites ne nous sont imposées que par nous-mêmes. Pourtant, le secret est de vivre pleinement et de profiter de la vie. N'oubliez pas de rire, car l'humour est le meilleur remède pour dédramatiser les situations difficiles. Permettez-vous de retrouver l'enfant en vous, et souvenez-vous qu'une journée sans rire est une journée perdue!

■ LA RECETTE DE LA RETRAITE

S'il y a des ingrédients clés dans la recette de base, n'oubliez pas d'apporter votre touche personnelle, le secret du chef! Une fine combinaison qui vous permettra de savourer votre retraite.

- 1 tasse de REER et/ou de régime de retraite
- 2 tasses d'économies
- 1 tasse d'humour
- ½ tasse de «gros bon sens»
- 2 tasses de connaissance de soi
- 1 entourage
- 1 cuillère à thé de facilité d'adaptation
- Une pincée d'audace
- Ajouter un être équilibré et mélanger tous les ingrédients.
- Le degré de cuisson varie selon le temps de la préparation.

Selon l'humeur du moment, les situations particulières et les ambitions, la préparation peut varier. Il ne tient qu'à vous d'y ajouter votre touche personnelle. Une retraite réussie correspondra à votre personnalité. En y mettant du vôtre, vous obtiendrez une recette parfaite que vous pourrez modifier ou adapter au besoin, seul ou avec l'aide des autres.

POINTS À NE PAS OUBLIER

Vous êtes actuellement heureux, mais vous voulez vous assurer que cela durera. Suivez les conseils suivants et vous éviterez les problèmes de sommeil, le désintérêt, la déception, l'isolement, le stress et la déprime.

■ Questionnez-vous dès maintenant sur votre retraite ; ne remettez pas votre réflexion à plus tard.

■ Percevez votre retraite comme une période où vous continuerez de cheminer, et non comme une rupture.

■ Évitez de vous comparer aux gens autour de vous, surtout ceux qui constituent des modèles que vous ne pourrez jamais imiter.

■ Respectez vos limites sur le plan personnel et financier.

■ Fixez-vous des objectifs qui seront réalisables.

■ Évitez d'amplifier les événements anodins.

■ Ne vous plaignez pas sans cesse.

■ Ne fuyez pas un événement agréable qui pourrait vous apporter du plaisir.

■ Évitez de vous étourdir dans diverses activités qui vous éloigneront de qui vous êtes vraiment.

■ Prenez la vie avec un grain de sel.

■ Ne vous soumettez pas systématiquement au désir des autres ; restez vous-même et écoutez-vous.

Si vous sentez que vous ne respectez pas ces conseils jusqu'à maintenant, dites-vous qu'il n'est jamais trop tard pour renverser la vapeur. Le fait d'en prendre conscience vous amènera à modifier votre comportement. Que vous soyez seul ou en couple, il vous faut adapter votre perception des choses, votre philosophie et votre rythme de vie selon votre énergie et vos économies. N'attendez pas pour le faire, vous constaterez les résultats positifs.

Chapitre 5

Moi et l'autre

André est à la retraite depuis maintenant six mois. Il était si heureux de partager cette nouvelle étape de sa vie avec sa charmante épouse, Michelle. Il n'a pas eu besoin de discuter de son projet longtemps : Michelle et lui ont toujours été sur la même longueur d'ondes. Marié depuis 30 ans, toujours amoureux, fier de ses deux beaux grands enfants bien partis dans la vie, il était prêt ! Pour sa part, Michelle, retraitée depuis déjà deux ans, anticipait ce moment avec un peu d'angoisse… le moment où André entrerait dans son quotidien.

ANDRÉ : Chérie, est-ce que je peux t'aider à
    préparer le souper ?
MICHELLE : Si tu veux… Tiens, tu peux couper
    la tomate.
ANDRÉ : Avec plaisir.

André prend soin de s'installer correctement et coupe la tomate en petits cubes.

MICHELLE (UN PEU AGRESSIVE) : Mais qu'est-ce que
    tu fais ?
ANDRÉ : Je coupe la tomate, comme tu me l'as demandé.
MICHELLE (EXCÉDÉE) : Ce n'est pas comme ça qu'il
    fallait faire ! Il faut la couper en tranches.

––––––––––––––––––––

Bien que tirée d'un fait vécu, l'histoire de la tomate peut vous sembler un peu exagérée. Évidemment, la façon dont la tomate doit être coupée est sans intérêt, mais le dialogue illustre bien la nécessité de préparer votre retraite en couple et les frustrations qui peuvent émerger d'une nouvelle vie à deux. Il est primordial que chacun comprenne le mode de vie, les habitudes, les rêves et les craintes de l'autre. La communication dans le couple est donc d'une importance capitale.

Par ailleurs, le point de vue légal de votre union n'est pas à négliger non plus. Vous verrez dans ce chapitre que des droits et des obligations découlent de votre type d'union. Si vous êtes seul, vous devrez également avoir ces informations en tête. Rencontrer un nouveau partenaire peut occasionner des changements dans votre quotidien autant que dans votre situation financière, fiscale et légale.

Des documents légaux bien rédigés, une bonne compréhension des impacts de votre statut matrimonial sur l'ensemble de vos finances ainsi qu'une bonne préparation psychologique vous aideront dans la préparation de votre retraite.

Ne tenez rien pour acquis et ne prenez pas les choses à la légère, dans la préparation de votre retraite, quant à votre vie de couple. Détrompez-vous, ce n'est pas parce que vous avancez en âge ou que cela fait plusieurs années que vous êtes en couple que vous êtes à l'abri d'une séparation. Après tant d'années à vous définir comme travailleur ou parent, vous vous êtes peut-être oublié en tant que conjoint. Même si vous ressentez une grande complicité avec votre douce moitié, et que cette complicité peut constituer une base solide à votre nouvelle vie, cela n'empêchera pas le fait que se retrouver à temps plein ensemble est un bouleversement. Individuellement, vous allez vivre les phases de la retraite qui vont avoir un impact sur votre vie de couple. Serez-vous prêt à partager votre cheminement personnel avec l'autre ? Que voulez-vous faire ensemble ? Quels sujets meubleront vos conversations ? Êtes-vous prêt à comprendre et à respecter le point de vue de l'autre ou devra-t-il systématiquement s'ajuster à vos désirs et à vos besoins ?

■ QUI EST MON CONJOINT ?

Commençons avec la définition la plus romantique. Votre conjoint est la personne que vous aimez, avec qui vous avez choisi de faire un bout de chemin. Votre conjoint est la personne avec laquelle vous aviez suffisamment d'affinités pour vouloir vous installer, partager votre quotidien et fonder une famille avec elle.

LE CHEMIN D'UNE VIE À DEUX

Imaginez une voie de chemin de fer constituée de deux rails parallèles. C'est sur cette voie que vous vous engagez pour le meilleur et pour le pire afin de vivre le plus beau des voyages. Ces deux rails parallèles peuvent se comparer à deux individus ayant chacun leurs centres d'intérêts et leur personnalité. Entre les rails, il y a des traverses, qui symbolisent les points de jonction et de complicité entre les membres du couple : des loisirs partagés ensemble, des amis communs, la famille ou les enfants...

Sur un chemin de fer, la voie principale peut parfois être déviée pour prendre une autre direction comme dans les événements de la vie tels que mariage, arrivée d'un enfant, retraite. Si l'un des deux rails est mal aligné, le train risque de dérailler. Cette analogie démontre bien le cheminement d'une vie à deux, où l'adaptation prend tout son sens si l'on veut poursuivre ensemble.

Sur les plans légal, fiscal et financier, la définition de « conjoint » a une teneur différente.

La définition de « conjoint » est complexe. Votre compagnon de vie pourrait être reconnu comme étant votre conjoint par certaines lois, mais être considéré comme un étranger par d'autres. Selon votre situation familiale, vous pourriez même avoir plusieurs conjoints reconnus en vertu de certaines lois. Une chose est certaine : un conjoint marié légalement ou uni civilement sera toujours reconnu comme étant votre conjoint officiel au sens de toutes les lois, ce qui n'est pas le cas avec les personnes vivant en union de fait. Certains droits leur sont accordés, mais ne tenez rien pour acquis ! Nous y reviendrons en détail plus loin.

■ LES CONJOINTS MARIÉS

Qu'il soit célébré de façon civile ou religieuse, le mariage a la même valeur et procure les mêmes effets. Le mariage est en fait de nature civile, c'est la célébration qui est soit religieuse, soit civile. Le mariage soumet les époux à des droits et des devoirs fondamentaux auxquels ils ne peuvent déroger. Le Code civil du Québec établit que les époux ont les mêmes droits et les mêmes obligations. Ils se doivent mutuellement respect, fidélité, secours et assistance. Ils sont également tenus de faire vie commune et choisissent ensemble la résidence familiale.

La notion de résidence familiale est de nature légale, tandis que celle de résidence principale est de nature fiscale.

Les gens mariés ou unis civilement sont aussi soumis aux règles du patrimoine familial et à un régime matrimonial. Ce sont des notions importantes à comprendre, vu leurs impacts considérables sur vos stratégies financières et fiscales.

Le patrimoine familial

Le patrimoine familial se compose de certains biens d'un couple marié ou uni civilement. Les règles du patrimoine familial s'appliquent donc à toutes les personnes mariées ou unies civilement au Québec, et généralement aux couples mariés à l'extérieur du Québec qui sont domiciliés au Québec au moment de leur séparation.

Les résidences à l'usage de la famille, les meubles dans ces résidences, les véhicules automobiles à l'usage de la famille, les droits accumulés durant le mariage au titre d'un régime de retraite ou d'un régime enregistré d'épargne-retraite (REER) et les gains inscrits au Régime de rentes du Québec (RRQ) durant le mariage composent le patrimoine familial. Toutefois, les biens acquis par succession ou par donation avant ou pendant le mariage et les biens qui ne sont pas mentionnés comme étant spécifiquement des biens inclus (biens mentionnés ci-dessus) ne sont pas inclus dans le patrimoine familial. Il existe aussi certaines exceptions sur le plan des régimes de retraite lorsque la dissolution de l'union résulte d'un décès au lieu d'une séparation légale ou d'un divorce.

Contrairement aux cotisations faites dans un REER, les cotisations à un REEE ou à un CELI ne font pas partie du patrimoine familial.

Durant l'union, il n'est pas possible de renoncer au patrimoine familial ou de se soustraire à ces lois. Un mariage ou une union civile entraîne automatiquement l'application des règles du patrimoine familial. Seuls les couples vivant en union de fait n'y sont pas soumis. Au moment de la dissolution de l'union, soit lors d'une séparation légale, d'un divorce ou lors du décès d'un conjoint, une fois que la valeur partageable sera connue pour chacun des conjoints ou par le conjoint survivant, alors il sera possible d'y renoncer. C'est donc dire qu'un partage différent pourrait être accepté par les deux ex-conjoints.

La loi sur le patrimoine familial est entrée en vigueur le 1ᵉʳ juillet 1989. Les couples qui étaient déjà mariés à ce moment avaient la possibilité de signer une renonciation à l'application de ces règles. Une déclaration à cet effet devant notaire devait être signée avant le 31 décembre 1990.

Le régime matrimonial

Les futurs époux peuvent choisir quel régime matrimonial régira leur union. S'ils ne signent aucun contrat de mariage, le régime de la société d'acquêts s'appliquera automatiquement à leur union dès le moment de la célébration.

La société d'acquêts

Depuis juillet 1970, le régime de la société d'acquêts constitue le régime légal. Le régime de la société d'acquêts prévoit essentiellement le partage de tous les biens accumulés pendant le mariage. En cas de divorce ou de décès, un couple marié sous le régime de la société d'acquêts devra donc, une fois le patrimoine familial partagé, procéder au partage des acquêts. Pour rendre les choses simples, disons que les acquêts sont composés de tous les biens acquis après la célébration du mariage et qui ne font pas partie du patrimoine familial. En somme, en société d'acquêts, le conjoint a droit à la moitié de chaque cent gagné par l'autre conjoint.

La communauté de biens

Avant juillet 1970, le régime légal était celui de la communauté de meubles et d'acquêts, désigné souvent comme la « communauté de biens ». À cette époque, la plupart des couples signaient un contrat de mariage dans lequel étaient prévues des donations entre conjoints et l'adoption du régime de la séparation de biens que nous verrons plus loin. Compte tenu de la rareté de l'application de ce régime, nous n'explorerons pas ses règles en détail.

La séparation de biens

Par contrat de mariage, les futurs époux peuvent choisir le régime de la séparation de biens. Celui-ci stipule que chaque conjoint demeure propriétaire de ses biens et en dispose à sa guise pendant et après le mariage. Dans ce cas, chaque conjoint n'a pas droit à la moitié de chaque cent gagné par l'autre conjoint.

Lors de la dissolution du régime, les conjoints auront l'obligation de procéder au partage du patrimoine familial, mais aucun autre partage n'aura à être effectué en vertu du régime de la séparation de biens.

L'union civile

L'union civile est une nouvelle institution québécoise datant de juin 2002. L'union civile, bien souvent qualifiée de « petite cousine du mariage », permet aux conjoints de même sexe ou de sexes opposés de s'unir de façon à obtenir les mêmes effets que le mariage. Les couples unis civilement sont eux aussi soumis aux règles du patrimoine familial. À défaut de choisir le régime matrimonial de la séparation de biens, ils sont soumis au régime de la société d'acquêts.

La grande différence entre le mariage et l'union civile se situe dans la procédure de séparation. Les procédures administratives de rupture d'une union civile sont moins lourdes que celles d'un divorce.

■ L'UNION DE FAIT

Les conjoints de fait ont depuis plusieurs années les mêmes droits que les conjoints mariés dans certaines sphères de la vie. Mais contrairement à la croyance populaire, d'importantes distinctions sur le plan légal empêchent les conjoints de fait d'être reconnus au même titre que les conjoints mariés ou unis civilement. Comme si ce n'était pas déjà suffisamment complexe, les définitions de « conjoint de fait » varient en fonction des différentes lois fédérales et provinciales et des lois régissant les régimes de retraite.

Attention ! Les définitions de l'union de fait sont multiples. Avant de reconnaître votre union, certaines lois exigent trois années de vie commune, tandis que d'autres lois n'exigent qu'une seule année. D'autres lois ne reconnaissent jamais l'union de fait.

Si vous vivez en union de fait, ne tenez surtout pas pour acquis que votre conjoint est reconnu comme tel aux yeux de toutes les juridictions.

Le fisc et l'union de fait

Le fisc reconnaît l'union de fait depuis 1993, et l'union de fait entre conjoints de même sexe depuis 2000. Selon la Loi de l'impôt sur le revenu (LIR), les conjoints de fait sont reconnus après 12 mois de vie commune sans interruption ou immédiatement lorsqu'un enfant naît de l'union.

Se fréquenter ou vivre en union de fait?

Les retraités sont souvent plus indépendants financièrement que les jeunes. Ils ont dans bien des cas chacun leur résidence. Les nouveaux amoureux retraités vivent autant chez l'un que chez l'autre… Sont-ils des conjoints de fait? Puisque l'union de fait est d'abord une question de fait, comment prouver au fisc que des personnes qui « se fréquentent » sont des conjoints de fait? Les réponses à ces questions ne sont pas limpides.

Soyons attentifs à l'appellation: l'union de fait est une question de faits! L'analyse détaillée de facteurs tels que la vie commune, la façon dont le couple se présente auprès de la famille et des amis, et la façon dont ils vivent (partagent-ils le même lit? Se tiennent-ils par la main? Font-ils la vaisselle ensemble?) est parfois nécessaire afin d'établir si le couple vit ou vivait en union de fait.

La façon la plus simple de faire reconnaître votre union de fait est d'aviser le fisc en remplissant les formulaires[27] requis. La production de ces formulaires permettra d'établir clairement une date d'entrée en union de fait. Un an après cette date, les membres du couple seront reconnus comme conjoints de fait aux yeux du fisc. Vous commencerez donc à produire des déclarations fiscales en tenant compte du revenu de votre conjoint.

> Georges fréquente Maryse depuis déjà quelques années. Ayant vendu sa maison, il habite maintenant avec elle. Le couple prend soin de remplir le formulaire fédéral RC-65 en y inscrivant comme date d'entrée en union la date où Georges a officiellement emménagé chez Maryse, soit le 1er juillet 2010. À compter du 1er juillet 2011, ils seront officiellement reconnus comme des conjoints de fait aux yeux du fisc. ■

Plusieurs couples vivant en union de fait refusent de dévoiler leur union au fisc, de peur de payer plus d'impôt. Mais avoir un conjoint reconnu fiscalement n'augmentera pas nécessairement la facture fiscale des individus. Il est vrai que le dévoilement de cette nouvelle union pourrait vous faire perdre certains avantages fiscaux, par exemple le crédit pour personne vivant seule, le remboursement de TPS/TVQ ou le crédit pour frais médicaux. Cependant, le fait d'être reconnu comme conjoint de fait pourrait vous permettre, entre autres choses, de profiter des mesures de fractionnement de revenu (qui seront abordées plus en détail dans le chapitre suivant), et conséquemment de réduire votre facture fiscale familiale.

Les rentes de l'État et le type d'union

L'admissibilité au Supplément de revenu garanti (SRG) et aux différentes allocations est fonction du type d'union et du revenu familial net. Ressources humaines, développement et services sociaux Canada (RHDSC), qui administre la Pension de la Sécurité de la vieillesse (PSV) et le Supplément du revenu garanti (SRG), reconnaît l'union de fait après une année de vie commune, comme le fisc. Toutefois, en ce qui concerne la récupération de la Pension de la Sécurité de la vieillesse (PSV), le type d'union n'est pas considéré et la récupération se fait selon les revenus individuels. Conséquemment, après la reconnaissance de votre union de fait, vous pourriez perdre votre SRG, mais votre PSV restera intouchée.

La bigamie fiscale !

Pour rendre les choses encore plus complexes, le fisc permet la bigamie ! Eh non, avoir deux conjoints reconnus par le fisc n'est pas une bonne stratégie fiscale ! Un conjoint non divorcé et un conjoint de fait pourraient être reconnus simultanément par le fisc comme étant des conjoints.

> Victor ne le sait pas, mais il a deux conjointes reconnues aux yeux du fisc ! Il s'est séparé de fait de Marie il y a une dizaine d'années et, considérant qu'un partage des biens a été fait, le couple n'a jamais entrepris les procédures de divorce. Aujourd'hui, Victor vit en union de fait depuis huit ans avec Céline. Pour certaines mesures fiscales, Victor a deux conjointes reconnues. Par exemple, Marie et Céline pourraient toutes les deux bénéficier d'un roulement des REER de Victor à son décès à titre de conjointes héritières.

Le Régime de rentes du Québec (RRQ) et l'union de fait

Pour la Régie des rentes du Québec, votre conjoint de fait est la personne avec qui vous vivez maritalement depuis au moins trois ans, ou depuis une année si un enfant est né ou est à naître de votre union, ou encore si vous avez adopté un enfant.

En revanche, le conjoint marié légalement (ou uni civilement) aura préséance sur le conjoint de fait même s'il ne fait plus vie commune avec le rentier au moment de son décès.

> Advenant le décès de Victor, ce serait donc Marie, son
> épouse de laquelle il est séparé depuis de nombreuses
> années, qui hériterait de la rente de conjoint survivant
> de la RRQ, même si Victor a rédigé un testament pour
> avantager Céline.

Advenant votre décès, la RRQ vérifiera si vous avez un
conjoint qui se qualifie selon sa définition. Dans certains
cas litigieux, ils feront une enquête afin de déterminer qui était réellement votre conjoint, et conséquemment verseront à ce dernier les prestations de rente de
conjoint survivant.

Les régimes de retraite et l'union de fait

Les conjoints de fait sont un vrai casse-tête pour les
régimes de retraite. Pour vous y retrouver, il est important de connaître le type de régime de retraite auquel
vous participez : fédéral ou provincial. Ensuite, soyez
conscient que la définition de « conjoint reconnu au
moment du décès du rentier » peut varier selon que le
décès survient avant ou après la retraite. Nous y reviendrons un peu plus loin, mais tout d'abord, concentrons-
nous sur la définition de « conjoint ».

Aux fins des régimes enregistrés sous la Loi sur les
régimes complémentaires de retraite (LRCR), soit la loi
provinciale, le conjoint est la personne avec qui vous
êtes marié ou uni civilement, ou avec qui vous vivez en
union de fait. Le conjoint de fait est la personne avec qui
vous vivez maritalement depuis au moins trois ans ou
depuis au moins un an si un enfant est né ou est à naître
de cette union, ou encore si vous avez adopté un enfant.
Pour que votre conjoint de fait soit reconnu comme bénéficiaire de votre rente de retraite au moment de votre
décès, vous ne devez pas être marié avec quelqu'un
d'autre. Si vous êtes séparé légalement[28] de votre conjoint
avec lequel vous étiez marié (soit votre ex), ni celui-ci

ni votre conjoint de fait ne sera reconnu comme étant
«votre conjoint». Vous devez être divorcé de votre
premier conjoint pour que le régime de retraite recon-
naisse votre nouveau conjoint de fait.

> Ainsi, Céline, la conjointe de fait de Victor, n'est pas
> reconnue comme étant la bénéficiaire de son régime de
> retraite provincial, considérant que Victor et Marie sont
> toujours mariés, bien qu'ils soient séparés de corps (ou
> séparés légalement, ce qui signifie la même chose).
> Marie ne serait pas non plus reconnue comme étant la
> conjointe de Victor, puisqu'ils étaient séparés légalement
> et non divorcés. Le régime de retraite de Victor serait
> dans un tel cas dévolu à sa succession s'il décède avant
> d'avoir pris sa retraite.

Aux fins des régimes de retraite enregistrés sous la
législation fédérale (principalement les banques, les
compagnies de transport et de télécommunication), la
définition du conjoint s'apparente à celle qu'utilise la
Loi de l'impôt sur le revenu. Votre conjoint de fait sera
reconnu si vous vivez maritalement avec lui depuis au
moins un an ou si un enfant est né ou est à naître de
cette union, ou encore si vous avez adopté un enfant.

> Ainsi, Céline, la conjointe de fait de Victor, serait recon-
> nue comme étant la conjointe bénéficiaire de son
> régime de retraite fédéral, malgré le fait que Victor et
> Marie sont toujours mariés, n'étant que séparés de
> corps. ▪

Le Code civil du Québec (CcQ) et l'union de fait

Le Code civil du Québec ne reconnaît pas l'union de fait,
même après plusieurs années de vie commune. Toutefois,
sur des points précis, le législateur s'est assuré que le

Code civil traite de la même façon les conjoints de fait, les conjoints unis civilement et les conjoints mariés. En matière de succession et de patrimoine familial, le conjoint de fait n'est pas reconnu.

Il faut également noter que la situation des conjoints de fait au Québec est différente de celle des conjoints de fait dans les autres provinces canadiennes qui, par exemple, ont tous une obligation alimentaire réciproque. C'est-à-dire qu'en cas de séparation une pension alimentaire peut être octroyée à l'un des conjoints*.

■ QUI SERA MON CONJOINT À LA RETRAITE ?

Peu importe votre statut marital, le conjoint qui sera à vos côtés à votre retraite est peut-être un étranger ! Pour certains, la retraite consistera enfin en une vie de couple et familiale plus intense. Pour d'autres, ce sont deux quasi-inconnus qui vont se retrouver après s'être perdus dans un quotidien trépidant fait d'horaires professionnels surchargés et de déplacements fréquents. L'exemple de la tomate dans le dialogue du début le démontre bien. Partager le quotidien peut causer des frictions dans votre couple, car votre conjoint et vous êtes deux individus avec leur personnalité, leur bagage de vie et leurs objectifs propres. Certains événements qui apportent leur lot de stress et de changements comme le départ à la retraite peuvent amener une personne à changer son système de valeurs et ses besoins. Vous pourriez même être amené à remettre en question l'idée de continuer à cheminer avec votre conjoint. Pour reprendre l'image du chemin de fer, si vous et votre conjoint avez passé votre vie active sur deux voies distinctes, d'une certaine

---

*   La célèbre cause Lola pourrait venir modifier cet aspect...
     à suivre !

manière, la venue de la retraite constitue un croise-
ment de ces deux voies. Maintenant, qu'allez-vous faire
ensemble? Comment vous retrouverez-vous après toutes
ces années? Est-ce que vous aimez suffisamment votre
conjoint pour vous occuper de lui s'il devenait malade ou
inapte? Seriez-vous prêt à vous adapter à cette nouvelle
réalité et à mettre de côté certains rêves?

Avant même de prendre votre retraite, il est tout indiqué de communiquer et de préparer avec votre compagnon de vie votre projet de vie individuel et commun. Il
est également important d'être à l'écoute de l'autre et
d'ajuster vos ambitions aux siennes. Cela vous aidera
à vivre ce passage en harmonie et vous évitera des
résistances ou des conflits potentiels. Cet exercice de
réflexion favorise aussi un rééquilibre dans le couple,
car initialement, un des conjoints n'est peut-être pas
aussi prêt que l'autre à prendre sa retraite. Le fait d'en
discuter vous permettra de comprendre la position de
l'autre et de revoir la vôtre au sein de votre vie de couple.

Cette préparation peut être faite de façon formelle,
par des exercices de réflexion sur papier, par exemple,
ou de façon informelle, par une libre communication de
vos craintes et de vos rêves.

Prenez le temps de répondre à chacune des questions suivantes. Par la suite, comparez vos réponses. Cet
exercice vous permettra de confronter vos visions et de
mieux vous connaître.

■ Selon vous, quels sont les objectifs et ambitions de
votre conjoint?
■ Qu'est-ce qui intéresse et motive votre conjoint?
■ Quelles sont les principales qualités, compétences et
aptitudes de votre conjoint?
■ Quelles activités votre conjoint aimerait-il pratiquer?
Quelles sont les activités qu'il n'aimerait pas faire?

Comment ranimer la flamme ?

L'arrivée imminente de la retraite peut être le moment idéal pour faire revivre la période intense des débuts de votre couple, avec en plus une meilleure connaissance de vous-même et de vos aspirations. Il est maintenant temps de vous courtiser à nouveau. Surprenez votre partenaire en ménageant du temps pour une rencontre spéciale ou une sortie. Ces retrouvailles favoriseront la communication.

Outre la communication, le respect envers les choix et les rêves de l'autre est primordial. Prenez le temps de vous questionner pour vous redécouvrir. Interrogez-vous mutuellement sur la façon dont vous percevez l'autre. N'oubliez pas que, pour alimenter une flamme, il faut éviter tout ce qui peut l'éteindre. Privilégiez donc l'emploi du « je » au lieu du « tu » dans vos conversations, de façon à ne pas heurter votre partenaire en le désignant ou en parlant à sa place.

L'humour peut s'avérer un bon moyen de mettre en perspective les changements importants qui seront vécus lors de la retraite. Rien de mieux qu'un bon fou rire à deux pour relativiser une situation !

Le fait d'entretenir la flamme en maintenant votre complicité vous permettra de parler franchement et, s'il y a lieu, d'apporter des ajustements à votre mode de vie. Par exemple, demandez à votre partenaire s'il entrevoit sa retraite dans la même maison ou si un déménagement correspondrait mieux à ses nouveaux besoins. Vous remettre en question peut vous faire peur, mais dites-vous que tout changement se fait de façon progressive. Et puis, vous avez toujours la possibilité de consulter un professionnel pour obtenir un avis neutre et objectif. Un thérapeute peut vous guider dans vos réflexions en vous suggérant des pistes nouvelles à explorer dans votre vie de couple.

■ LORSQUE RIEN NE VA PLUS...

Certains couples décideront de continuer leur vie sur des voies ferrées séparées, l'écart étant devenu trop grand entre les attentes de chacun.

Les impacts financiers d'un divorce

Il existe principalement trois types de séparation : la séparation de fait (quand les deux ex-conjoints ne font plus vie commune), la séparation légale (ou de corps, où un jugement est prononcé par le tribunal et qu'il y a partage des biens) et le divorce.

Le divorce est le seul type de séparation qui rend le mariage caduc et qui y met fin pour de bon. Lors d'une séparation légale (ou de corps), le partage des biens s'effectue. Toutefois, aux yeux de certaines lois, l'ex pourrait toujours être reconnu comme conjoint légal, ce qui peut donner lieu à des situations plutôt tordues. Lors d'une séparation de fait, l'ex demeure le conjoint reconnu, puisque aucune procédure légale ni aucun partage des biens n'a été effectué.

> Si vous étiez marié et que vous êtes maintenant séparé sans avoir divorcé, vous pourriez vous retrouver dans la situation où votre conjoint marié est toujours le bénéficiaire de votre régime de retraite, même si vous vivez actuellement avec un nouveau conjoint qui est reconnu par le fisc ! Pire encore, si vous n'avez pas rédigé de testament, votre conjoint actuel, avec qui vous vivez en union de fait, n'héritera de rien. Et même si vous rédigez un testament en faveur de votre conjoint de fait actuel, ce dernier pourrait ne pas avoir droit à votre régime de retraite.

Outre les frais d'avocat, les impacts d'un divorce sont multiples. Lorsqu'un couple marié ou uni civilement se sépare de corps ou divorce, le partage du patrimoine familial doit être réglé. Un partage selon le régime matrimonial de la société d'acquêts peut aussi avoir lieu.

Généralement, la valeur nette des biens faisant partie du patrimoine familial appartenant à chaque conjoint sera déterminée et une créance sera établie envers le conjoint qui possède la valeur la moins élevée. Le partage du patrimoine familial se fait en valeur et non en biens. Par exemple, si la résidence appartient à monsieur, il ne devra pas la partager avec madame. Il devra plutôt transférer à son ex-conjointe des biens équivalant à la moitié de la valeur nette de la résidence.

Les gains enregistrés à la RRQ sont automatiquement partagés à la réception d'un jugement, à moins que ce jugement prévoie spécifiquement qu'il n'y a pas de partage. Suivant ce partage, le total des gains inscrits au nom de chacun des conjoints durant les années de vie commune est réparti en parts égales entre eux, ce qui modifie les rentes promises à la retraite.

Il est possible d'obtenir de la RRQ une simulation de partage de la rente par écrit afin d'en mesurer l'impact.

Après avoir partagé le patrimoine familial, les couples mariés sous le régime de la société d'acquêts devront aussi se partager les acquêts.

Ces partages affectent la situation financière des deux conjoints, et conséquemment la planification de leur retraite. Toutefois, ils sont d'une importance capitale, car une séparation non réglée officiellement peut entraîner des conséquences autrement fâcheuses, notamment pour un nouveau conjoint. Devant ce fait, il devient primordial d'envisager un divorce afin d'éviter tout différend et toutes mauvaises surprises.

Les impacts d'une séparation pour les conjoints de fait

Les conjoints de fait n'ont pas à partager le patrimoine familial lors d'une séparation. Chacun repart avec son propre petit bonheur et les biens qui lui appartiennent. Attention, par contre : si tous les biens ont été achetés par un seul des conjoints et que l'autre a contribué financièrement à leur achat, il sera parfois difficile d'établir la preuve d'appartenance des biens. Dresser un inventaire de vos biens pendant que vous êtes encore sous l'effet du romantisme serait une excellente idée. Tout sera plus clair pour les deux si vos droits et obligations sont bien définis dès le départ. Mieux vaut négocier quand tout va bien.

Considérant que les conjoints de fait ne sont pas tenus par la loi de partager leurs biens, il est conseillé de rédiger une convention de vie commune afin de vous protéger mutuellement en cas de séparation.

En cas de séparation de conjoints de fait, il est possible de demander le partage des revenus de travail inscrits au Régime de rentes du Québec (RRQ) durant les années de vie commune, avec l'accord des deux conjoints. Il est aussi possible de partager un régime de retraite, un REER ou tout autre bien avec l'accord des deux conjoints. Aucun de ces partages n'étant obligatoire, il faudra vous entendre.

■ LA CONTINUITÉ DANS VOTRE VIE À DEUX

Si vous voulez éviter de vous perdre dans les dédales juridiques et financiers, il faudra que vous acceptiez de prendre les grands moyens pour en arriver à des compromis. Ne prenez pas trop personnellement la réaction négative que votre conjoint pourrait avoir face à cette nouvelle adaptation. Ce n'est sans doute que le signe qu'il est difficile pour lui de changer ses habitudes et qu'il est peut-être déstabilisé dans cette nouvelle étape de sa vie. La fuite dans des activités individuelles peut être tentante mais, à long terme, une planification à deux est gagnante.

> Durant les trois premiers mois de sa retraite, Robert allait tous les matins prendre un café au restaurant du coin, tel qu'il l'avait toujours fait du temps de sa vie de travailleur. En fait, il gardait ses anciennes habitudes. Cependant, après réflexion, il se rendit compte que ce n'était pas le café qui était si important, mais le fait de fuir le territoire de sa charmante Germaine ! Il est maintenant temps pour lui de délimiter les territoires de chacun pour éviter que sa femme et lui se sentent envahis. ■

■ DEUX SEXES, DEUX PLANÈTES !

Dans votre planification, il faudra également que vous teniez compte des intérêts et de la personnalité de chacun. Il y a bel et bien des différences entre un homme et une femme. Il n'est pas rare de constater qu'à la retraite un homme a tendance à devenir davantage casanier. Il choisit souvent de s'investir davantage dans des activités de bricolage, de rénovation ou dans des sports. La femme retraitée pourrait quant à elle avoir davantage le goût de sortir, ayant eu tout au long de sa vie active à concilier le travail, les tâches domestiques et les soins à la famille. La retraite représente pour elle l'occasion de vivre de nouvelles expériences. Ainsi, la femme, de façon générale, privilégiera des activités à l'extérieur, que ce soit pour des rencontres avec ses amis, le gardiennage de ses petits-enfants ou du bénévolat.

Pour favoriser la satisfaction des goûts de chacun, pourquoi ne pas faire preuve de créativité et allouer à

votre budget commun un poste de « dépenses folles ».
Évidemment, n'allez pas trop loin dans la folie et dépensez en fonction de vos moyens. Faites aussi attention de
ne pas critiquer ce que l'autre veut faire, ne lui demandez pas de se justifier et acceptez de faire des compromis. Par exemple, renoncez à une voiture trop chère
pour vous garder l'argent nécessaire à de petits week-
ends de détente. Surtout, évitez d'utiliser le prétexte
du manque d'argent pour ne rien faire. Il y a toujours
moyen de faire quelque chose...

■ DES RETRAITES NON SYNCHRONISÉES

Si, par choix ou par hasard, vous ne prenez pas votre retraite
en même temps que votre conjoint, la clé de la réussite
réside en trois mots : communication, communication et
communication. Que se passera-t-il si un des conjoints
prend sa retraite et se retrouve avec tout ce temps libre
alors que l'autre continue sa vie effrénée de travailleur ?
Celui qui est à la retraite aura peut-être le goût de passer
le week-end à sortir avec son conjoint, tandis que celui-
ci aura probablement envie de se reposer à la maison.
À l'inverse, une personne retraitée peut avoir tendance
à s'isoler tandis que son conjoint demeure actif autant
professionnellement que personnellement. Une importante différence d'âge peut aussi être problématique : les
deux conjoints n'ont pas les mêmes goûts, la même énergie ; un des deux peut avoir des ennuis de santé liés au
vieillissement et l'autre, se voir obligé d'en prendre soin...
Il faudra que vous appreniez à reconnaître vos limites, à
respecter l'autre dans ses choix et à communiquer pour
vous donner un espace commun fait de compromis.
　　Prenez le temps de vous connaître individuellement
et conjointement dans cette nouvelle étape de votre vie
avant qu'il ne soit trop tard.

■ SI VOUS ÊTES SEUL

Il est important de ne pas vous isoler si vous êtes seul au moment de prendre votre retraite. Cherchez à bien vous entourer afin de ne pas déprimer. Même si vous avez une personnalité plutôt solitaire, vous pourriez envisager de vous inscrire à des activités, dans un centre de conditionnement physique ou un club de lecture, par exemple. Sortez de votre isolement pour vous assurer une retraite épanouie. Partager votre expérience et votre savoir avec les autres pourrait être drôlement intéressant.

■ LE DÉCÈS DU CONJOINT ET SES IMPACTS

Peu importe l'âge que vous avez, et que vous soyez à la retraite ou non, il est important de faire votre planification successorale. Établir la dévolution de vos biens en prenant soin d'analyser votre situation familiale et financière équivaut à faire un beau cadeau à vos proches. Ils pourront vivre leur deuil plus en paix, et vous serez assuré que vos dernières volontés seront respectées.

La planification testamentaire et successorale

La planification successorale permet de prévoir ce qui arrivera à votre décès selon les biens et les documents juridiques que vous possédez. Un bilan successoral indique les impacts fiscaux d'un décès et la valeur de la succession. Préparer un bilan successoral, c'est comme si l'on vous faisait mourir sur papier ! Ensuite, un état des liquidités successorales est préparé afin de calculer les liquidités nécessaires pour acquitter les factures découlant d'un décès ; cela vous assure que votre succession n'aura pas à faire une vente de feu de vos biens pour acquitter par exemple les impôts exigibles. Avec ces deux outils en main (soit un bilan successoral et un état des liquidités successorales), vous pourrez rédiger un testament sur mesure selon vos volontés.

Rédiger un testament, ça ne fait pas mourir !

Il est courant de penser que les personnes mariées ou les personnes seules n'ont pas à rédiger de testament. Plusieurs croient aussi que si un contrat de mariage portant une clause « au dernier vivant les biens » a été signé, la rédaction d'un testament devient superflue. Détrompez-vous. Peu importe votre état matrimonial et le type de votre union, un testament notarié simplifiera grandement le règlement de votre succession. Pour rédiger un testament, mieux vaut être bien préparé à répondre aux questions que vous posera le juriste. Rédiger un testament, c'est aussi très émotif. Sinon, le Code civil du Québec prévoit des règles de dévolution en l'absence de testament. Le tableau qui suit montre à qui iront vos biens dépendamment de votre situation au moment de votre décès, si vous n'avez rien prévu par testament ou par contrat de mariage.

DÉVOLUTION LÉGALE LORS D'UN DÉCÈS SANS TESTAMENT

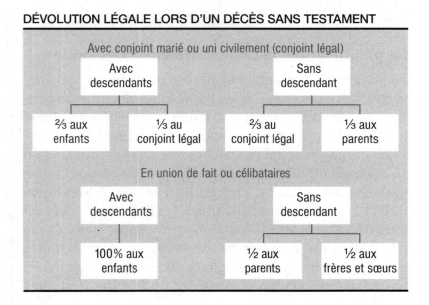

Rappelons ici que le conjoint reconnu est le conjoint marié ou uni civilement. Le conjoint de fait n'est pas reconnu par le Code civil du Québec en matière de succession. Si vous n'avez pas de testament prévoyant le legs de vos biens à votre conjoint de fait, il n'héritera de rien !

Si vous êtes marié et que vous n'avez pas de testament ni de clause « au dernier vivant les biens » dans votre contrat de mariage, votre conjoint héritera du tiers de votre succession et vos enfants, des deux tiers restants. Si vous n'avez pas d'enfants, votre conjoint héritera des deux tiers de votre succession et vos parents, ou vos frères et sœurs si vos parents sont décédés, hériteront de l'autre tiers de votre succession.

Simone est mariée à Jean depuis plus de 30 ans. Ils n'ont pas d'enfant. Ils n'ont aucune clause « au dernier vivant les biens » dans leur contrat de mariage. Comme ils sont mariés, ils n'ont jamais vu l'utilité de rédiger un testament, croyant à tort que tous les biens seraient remis au conjoint en cas de décès. Mauvaise nouvelle : si l'un d'eux décède, selon le Code civil du Québec, le tiers de sa succession ira aux membres de sa famille. Le conjoint survivant devra donc négocier avec sa belle-famille au moment de régler la succession. Cette situation ne risque-t-elle pas d'alourdir le deuil du conjoint survivant ? ▪

Par ailleurs, pour les couples mariés ou unis civilement, le partage du patrimoine familial et du régime matrimonial devra être effectué avant tout partage de la succession.

En ce qui a trait à votre conjoint de fait (qui rappelons-le n'est pas reconnu par le Code civil du Québec), il pourrait bénéficier du produit de vos assurances vie si vous l'avez désigné comme bénéficiaire. Puis, même sans testament rédigé en sa faveur, le conjoint de fait pourrait avoir droit, sous certaines conditions, à votre régime de retraite et à la rente de conjoint survivant de la RRQ. Il est donc important de vous renseigner sur les façons légales de favoriser votre conjoint de fait. Mais la façon la plus sûre de le faire est de rédiger un testament.

Les célibataires ont aussi tout intérêt à le faire. En l'absence d'un testament, une personne célibataire ou veuve verrait ses biens transmis à ses enfants au moment de son décès. En l'absence d'enfants héritiers, les biens seraient partagés entre ses parents et ses frères et sœurs. Si vous souhaitez qu'il en soit autrement, la rédaction d'un testament, de préférence notarié, est fortement recommandée.

Les différentes formes de testament

Un testament notarié est inscrit à un registre central et ne risque pas d'être égaré. Aussi, il n'aura pas à être vérifié par le tribunal au moment de votre décès. Votre liquidateur testamentaire (que vous aurez pris soin de choisir judicieusement) aura les pouvoirs requis pour mener à bien la liquidation de votre succession.

Des conseils et des stratégies de transmission de vos biens vous seront donnés lors de la rédaction du testament notarié. Par exemple, on pourrait vous recommander la création d'une fiducie testamentaire. En plus d'être fiscalement avantageuse, la fiducie testamentaire permet la protection des actifs légués. En quelque sorte, elle vous permet de contrôler la dévolution de vos biens depuis l'au-delà… Si par exemple vous léguez à votre conjoint des biens dans une fiducie exclusive en sa faveur, vous vous assurez qu'il ne manquera de rien après votre décès, mais surtout, vous faites en sorte qu'à son décès les biens détenus dans la fiducie seront remis aux héritiers de votre choix (et non du sien).

À défaut de vouloir rédiger un testament notarié, il existe d'autres formes de testaments reconnus. Toutefois, soyez conscients que la rédaction d'une autre forme de testament n'est pas sans conséquences.

Le testament olographe devra être entièrement rédigé de votre main et être signé pour être valide. Suivant votre décès, ce testament devra être homologué par le tribunal, ce qui occasionnera des frais et des délais supplémentaires à vos héritiers. Et un testament olographe n'est pas sans risques. Vos héritiers vont-ils le trouver ? S'agira-t-il de votre dernier testament rédigé ? Qui vous dit que la personne qui le trouvera ne le détruira pas ? Contient-il toutes les clauses nécessaires au bon règlement de votre succession ?

Les autres formes de testament plus modernes, soit vidéo ou électroniques, ne sont pas reconnues au Québec. Elles n'ont actuellement aucune valeur légale.

Il en va de même pour le testament devant témoins, qui doit être rédigé devant deux témoins. Ce testament devra aussi être vérifié par le tribunal après votre décès. Il est à noter que les testaments préparés par les juristes autres que les notaires sont considérés comme des testaments devant témoins.

Un régime de retraite au décès

En dépit de votre testament, il existe des mesures spéciales qui dépendent du moment où le décès du rentier participant à un régime de retraite survient. Un décès avant la retraite n'aura pas les mêmes effets qu'un décès après la retraite. Il est important de préciser que nous parlons ici des régimes privés de retraite, et non pas des régimes enregistrés d'épargne-retraite (REER). Rappelons aussi qu'il existe deux types de régimes de retraite : ceux qui sont sous législation fédérale et ceux qui sont sous législation provinciale. Si vous décédez avant la retraite et que votre conjoint répond effectivement à la définition de conjoint (comme nous l'avons vu précédemment) selon votre régime, il sera automatiquement le bénéficiaire de la prestation de décès prévue. Mais il y a une exception : dans le cas des régimes enregistrés sous la Loi sur les régimes complémentaires de retraite (donc les régimes provinciaux), il est possible pour le conjoint héritier de renoncer à son droit de recevoir cette prestation de décès. Vous pourriez prévoir de nommer un autre bénéficiaire au cas où votre conjoint renoncerait à ses droits.

> **En cas de décès, vous n'avez pas le choix, c'est votre conjoint qui sera automatiquement bénéficiaire de votre régime de retraite.**

Si vous êtes à la retraite et que vous recevez une rente d'un régime de retraite à prestations déterminées, les règles sont un peu différentes. La prestation prévue au décès est déterminée au moment de la retraite, et votre conjoint a aussi son mot à dire !

Dans le cadre d'un régime de retraite à prestations déterminées, au moment de prendre sa retraite, le participant a normalement un choix à faire quant au type de garantie qu'il désire accorder à sa rente.

Une rente garantie

Une rente viagère comportant une garantie est une rente payable la vie durant du rentier, mais advenant son décès pendant la période de garantie, le bénéficiaire aura droit au solde de la garantie. Cette garantie peut être de 5, 10 ou 15 ans.

Marc, retraité, décède trois ans après avoir pris sa retraite. Marc avait opté pour une rente comportant une garantie de 10 ans. Suivant son décès, son bénéficiaire continuera de recevoir la rente durant sept années. Si Marc était décédé 12 ans après avoir pris sa retraite, la rente aurait immédiatement cessé d'être versée, puisque la garantie aurait été épuisée après la dixième année. Si Marc avait opté pour une rente viagère comportant une garantie 15 ans, il aurait reçu un montant annuel moindre, considérant l'étendue de la période de garantie ; et s'il était mort après 12 années de retraite, son bénéficiaire aurait continué de recevoir une rente pendant trois ans. ■

Une rente réversible

Une rente réversible à 50 % ou à 60 % au conjoint signifie qu'au décès du rentier ce pourcentage choisi de la rente sera payable au conjoint sa vie durant.

La loi oblige le participant ayant un conjoint au moment de prendre sa retraite à opter pour une rente réversible à 60 % au profit de son conjoint afin de le protéger. Le conjoint bénéficiaire a l'option de renoncer à ce droit, et le participant a alors la possibilité de choisir une autre des multiples options offertes. Il est important de mentionner aussi que tous ces choix ont un coût. En effet, plus la garantie et le pourcentage de réversibilité seront généreux, moins la rente payable la vie durant du rentier sera élevée.

De plus, le conjoint peut être désigné au moment de la retraite ou au moment du décès. Si votre régime de retraite mentionne que le conjoint qui aura droit à la rente réversible est celui qui est présent lors de votre retraite et que celui-ci décède, un nouveau conjoint, même s'il est reconnu au moment de votre décès, ne serait pas admissible. Il pourrait toutefois arriver que la définition de conjoint du régime de retraite auquel vous participez mentionne que le conjoint est celui qui se qualifie au moment du décès. Dans un tel cas, le conjoint présent à votre décès serait le bénéficiaire de la rente.

■ PROTÉGER LES ÊTRES CHERS

Planifier sa retraite est important, mais il est important aussi de planifier votre décès et votre incapacité. Tout cela peut être déprimant, mais il est toujours plus facile de régler ces choses-là lorsque tout va bien, que vous êtes encore en bonne santé et que vous avez toute votre tête pour bien faire les choses.

En cas d'inaptitude

Savez-vous ce qu'il adviendra de vous si vous devenez inapte, c'est-à-dire incapable de gérer vos biens et de prendre des décisions concernant votre bien-être et votre santé ?

Si vous devenez inapte et que vous n'avez pas de mandat en cas d'inaptitude, toute personne intéressée (conjoint, parent, curateur public, etc.) pourra demander au tribunal l'ouverture d'un régime de protection pour vous. Des évaluations médicale et psychosociale devront être obtenues et vous serez interrogé. Une assemblée de parents, d'alliés ou d'amis, ce qu'on appelait un conseil de famille, devra être convoquée. Enfin, un jugement sera rendu, déclarant votre inaptitude et vous nommant un curateur, un tuteur ou un conseiller au majeur, dépendamment du type de protection qui aura été jugé pertinent par le tribunal. Il se peut fort bien que votre conjoint soit choisi pour administrer vos biens et prendre soin de vous. Par contre, celui-ci aura des comptes à rendre chaque année à la curatelle publique. De plus, si la majorité de vos avoirs et de votre revenu familial est à votre nom, votre conjoint devra justifier leur utilisation pour son bien personnel !

Le mandat donné en prévision de l'inaptitude est un contrat par lequel le mandant donne à un mandataire le pouvoir d'agir en son nom pour tous les actes que le mandataire jugera à propos, y compris la protection de la personne et l'administration des biens du mandant, advenant son inaptitude. Le mandat en cas d'inaptitude vous permettrait d'éviter l'implication de la curatelle publique et de choisir vous-même qui s'occupera de vos biens et qui s'occupera de votre personne. Vous pourrez également prévoir des remplaçants. Vous pourriez aussi décider quelle latitude vous donnez à votre mandataire dans l'administration de vos biens.

Le mandat en prévision de l'inaptitude est donc le moyen prévu par la loi pour éviter l'ouverture d'un régime de protection imposé par le Code civil du Québec (soit la curatelle, la tutelle ou le conseiller au majeur) tout en protégeant les droits de la personne en lui substituant un représentant qu'elle aura elle-même choisi.

Il est possible de nommer des mandataires différents pour l'administration de vos biens et de votre personne.

L'entrée en vigueur du mandat en prévision de l'inaptitude dépend d'une seule chose : l'inaptitude du mandant. On parle ici de l'inaptitude constatée par les autorités médicales et le tribunal. Vous ne déciderez pas un bon matin que votre conjoint est inapte !

L'inaptitude doit être constatée et une requête en homologation du mandat en prévision de l'inaptitude doit être présentée à un juge, à un greffier ou à un notaire. On doit y joindre le mandat, une évaluation médicale et une évaluation psychosociale constatant l'inaptitude du mandant.

Pour être valide, le mandat en prévision de l'inaptitude doit être soit notarié ou fait en présence de deux témoins qui n'ont pas d'intérêt dans l'acte. Ne pas avoir d'intérêt signifie ne pas être nommé à titre de manda-taire, de mandataire remplaçant ou de personne à qui les mandataires doivent présenter une reddition de compte. Les témoins doivent être en mesure de consta-ter que le mandant est apte à signer, c'est-à-dire qu'il a toute sa tête. Ils doivent signer le mandat en présence du mandant, ce qui a pour effet d'attester que c'est bien la signature de ce dernier.

Pour les personnes qui ne sont pas en couple, il est tout aussi important, sinon plus, de nommer quelqu'un qui s'occupera de vos biens et de votre personne en cas d'inaptitude.

Ne négligez pas non plus de prévoir des protections d'assurances adéquates et suffisantes en cas de maladie grave ou d'invalidité. Des protections inappropriées ou insuffisantes pourraient occasionner de réels gouffres dans vos finances (pour plus de détails, référez-vous au chapitre 8).

POINTS À NE PAS OUBLIER

■ Il est primordial d'analyser la situation du couple, et ce, sur le plan psychologique autant que sur le plan financier.

■ La méconnaissance des droits et obligations de votre statut marital pourrait se révéler cauchemardesque.

■ Votre conjoint peut être reconnu aux fins de certaines lois, mais pas selon d'autres lois.

■ Si vous vivez en union de fait, ne tenez pas pour acquis que votre conjoint sera l'héritier de tous vos biens.

■ Le mandat en prévision de l'inaptitude est un document très important qui permet d'éviter l'implication de la curatelle publique.

■ Les personnes en couple doivent prendre le temps de préparer leur retraite à deux afin de comprendre leurs objectifs personnels et communs.

■ L'important, c'est la COMMUNICATION !

■ Il est important de respecter les projets et besoins de son conjoint.

Chapitre 6

Vos impôts

JEAN : J'ai toujours su qu'ils allaient m'avoir !
Maintenant que j'ai besoin de retirer mes REER
pour vivre, ils me font payer 50 % d'impôts !

MARTIN (AMI) : Oui, tu devras payer de l'impôt sur
le rachat de tes REER, mais pas 50 %. Depuis
que je suis à la retraite, mes impôts ont baissé.
Je gagne un peu moins qu'avant, donc je paye
moins d'impôt, et il me reste autant d'argent
pour vivre. Ce qui m'embête, moi, c'est la
discipline d'en mettre de côté pour payer
l'impôt l'année suivante. La paperasse des
acomptes provisionnels n'est pas évidente…

————————————————————

Même retraité, on n'échappe pas à l'impôt. Les sources de revenu imposables sont toutefois différentes, et leur traitement fiscal l'est tout autant. La plupart du temps, les revenus à la retraite sont moins importants que durant la vie active, ce qui influence le calcul des impôts à payer. Les deux paliers de gouvernement accordent aux retraités certains privilèges, selon le type de revenus et leur situation familiale.

■ LES IMPÔTS PERSONNELS

La retraite n'est pas synonyme de congé fiscal. Voilà pourquoi il est important de bien comprendre comment fonctionne notre système fiscal en ce qui a trait aux déductions, aux crédits ou aux stratégies fiscales auxquels vous pourriez avoir droit. Nous vous offrons donc un cours d'impôt 101 !

Vous vous êtes sûrement déjà vanté d'avoir un « bon comptable » lorsque vous avez reçu un chèque de retour d'impôt. Pourtant, recevoir un chèque en guise de retour d'impôt est le signe d'une mauvaise planification fiscale. Recevoir un chèque de retour d'impôt signifie tout simplement que vous en avez trop payé tout au long de l'année.

Si vous recevez un gros remboursement d'impôt, questionnez-vous. Vos retenues d'impôt à la source sont-elles trop importantes, ou versez-vous trop d'argent dans vos acomptes provisionnels ? Vous pourriez ajuster le tir et payer votre juste part d'impôt tout au long de l'année ; ainsi, vous profiteriez de votre argent au lieu de l'envoyer à l'avance aux gouvernements !

Le principe d'imposition est simple. Chaque personne paie de l'impôt sur les revenus gagnés au cours d'une année (soit entre le 1ᵉʳ janvier et le 31 décembre), et non pas sur la valeur de son patrimoine. Plus votre revenu sera élevé au cours d'une année, plus le taux d'imposition augmentera et, conséquemment, plus votre facture fiscale sera salée. Ces taux d'imposition progressifs peuvent même s'élever jusqu'à 48,2 % de vos revenus (soit le taux marginal maximum en vigueur en 2010).

Le tableau ci-dessous présente les taux d'imposition de 2010 selon les différents types de revenus.

TAUX D'IMPOSITION DES RÉSIDENTS DU QUÉBEC EN 2010

PALIERS D'IMPOSITION	REVENUS DIVERS (comme de l'intérêt)	DIVIDENDES DÉTERMINÉS Pour les actions cotées en Bourse (majoration 44 %)*	DIVIDENDES ORDINAIRES Généralement pour les actionnaires de sociétés privées (majoration 25 %)	GAINS EN CAPITAL
11 000 $ - 38 569 $	28,5 %	5,9 %	11,7 %	14,3 %
38 570 $ - 40 969 $	32,5 %	11,7 %	16,7 %	16,3 %
40 970 $ - 77 139 $	38,4 %	16,5 %	24,0 %	19,2 %
77 140 $ - 81 940 $	42,4 %	22,3 %	29,0 %	21,2 %
81 941 $ - 127 020 $	45,7 %	27,1 %	33,2 %	22,9 %
127 021 $ et plus	48,2 %	30,7 %	36,4 %	24,1 %

* Lorsqu'un dividende est reçu, il doit être majoré de 44 %, ce qui signifie que pour un dividende de 100 $, un revenu de dividendes de 144 $ apparaîtra sur votre déclaration fiscale. C'est sur ce dividende majoré que seront appliqués les crédits d'impôt pour dividendes.

Cette table ne tient pas compte de la situation familiale et ne considère que le crédit personnel de base.

Les différents types de revenu et les taux d'imposition

Les taux d'imposition peuvent aussi varier selon le type de revenu. Ainsi, un revenu d'intérêt ou un revenu d'emploi sont plus lourdement imposés qu'un revenu de dividendes ou qu'un gain en capital, lesquels profitent d'un traitement fiscal avantageux. Par exemple, avec un salaire de 45 000 $ en 2010, une personne qui aurait gagné un revenu d'intérêt serait imposée à 38,4 %. Si le revenu était plutôt un dividende déterminé, le taux d'imposition serait de 15,4 % ; ce taux serait de 19,2 % s'il s'agit d'un gain en capital.

SALARIÉ GAGNANT 45 000 $ EN 2010 AVEC UN REVENU DE 100 $

	IMPÔT ESTIMATIF À PAYER SELON LE TAUX MARGINAL D'IMPOSITION	REVENU NET
INTÉRÊT	38 $	62 $
DIVIDENDE DÉTERMINÉ	17 $	83 $
GAIN EN CAPITAL IMPOSABLE	19 $	81 $

Les gains et les pertes en capital

Un gain en capital est réalisé lorsqu'un bien particulier (par exemple des actions ou un immeuble locatif) est vendu (ou disposé, selon le jargon utilisé en fiscalité) à un prix supérieur au prix d'achat. Ainsi, si vous aviez acheté une action à 100 $ et que vous la vendez 200 $, votre gain sera un gain en capital de 100 $ (200 $ - 100 $). Certains frais peuvent ajuster votre coût d'achat à la hausse (comme les frais de courtage), venant réduire votre gain en capital. À titre d'exemple, si vous aviez payé 20 $ de frais de courtage pour transiger vos actions, votre gain en capital serait alors de : 200 $ - (100 $ + 20 $) = 80 $. Le coût d'achat ajusté de certains frais admissibles est appelé prix de base rajusté (PBR).

Le gain en capital se calcule comme suit :

PRODUIT DE DISPOSITION (qui est égal à la juste valeur marchande du bien au moment où il est disposé) moins le PBR (soit le coût ajusté de certains frais admissibles) égale le gain en capital.

Le traitement fiscal d'un gain en capital est particulier. Sur un gain en capital de 100 $, seulement 50 $

(soit 50 % selon le taux d'inclusion actuellement en vigueur) est imposable.

Si le bien en question est vendu à un coût inférieur au coût d'achat, une perte en capital sera réalisée. Si vous aviez acheté une action à 100 $ et que vous la vendez 10 $ (avec un PBR de 10 $), vous réaliserez une perte en capital de 90 $. Le même principe que pour le gain en capital est appliqué : selon le taux d'inclusion actuellement en vigueur, 45 $ sera votre perte en capital déductible.

Les pertes en capital ont la particularité d'être déductibles à l'encontre de gains en capital imposables réalisés au cours de l'année ou au cours des trois années précédentes ou dans l'avenir.

Daniel a réalisé, en 2010, 10 000 $ de perte en capital en vendant quelques titres de son portefeuille boursier. Considérant le taux d'inclusion en vigueur à ce moment, la perte en capital déductible sera de 5 000 $. En 2010, il n'a pas réalisé de gain en capital. Toutefois, son historique démontre qu'il avait réalisé les gains en capital imposables suivants : soit 1 000 $ en 2007, 500 $ en 2008 et 800 $ en 2009. Ainsi, sa perte en capital déductible de 2010 pourra être appliquée à l'encontre des gains en capital imposables réalisés historiquement. Son professionnel de l'impôt l'aidera à profiter de cet avantage fiscal en venant amender ses déclarations fiscales de 2007, 2008 et 2009. Daniel aura à la fin de 2010 un report de pertes en capital déductibles reportées de 2 700 $ (5 000 $ - 1 000 $ - 800 $ - 500 $), qu'il pourra utiliser ensuite lorsqu'il réalisera un gain en capital. ▪

Taux d'imposition marginal ou effectif, et acomptes provisionnels

En impôt, il existe deux types de taux : le taux marginal et le taux effectif. Le taux effectif est le taux d'impôt que vous payez sur l'ensemble de vos revenus. La plupart des revenus «réguliers» comme un salaire, une rente de retraite, un boni ou un retrait d'un compte REER sont assujettis aux retenues d'impôt à la source. Les retenues d'impôt à la source sont toujours faites de façon indépendante, comme si le revenu qui y était assujetti était votre seul revenu de l'année. Ainsi, si vous avez plusieurs sources de revenu, vous risquez de vous retrouver avec une facture d'impôt à payer, malgré les retenues d'impôt à la source.

Pour les revenus qui ne sont pas assujettis aux retenues d'impôt à la source (comme les revenus de travailleurs autonomes, les revenus nets de location, etc.), généralement, des acomptes provisionnels établis selon le montant des revenus déclarés l'année précédente et les revenus anticipés pour l'année en cours sont exigés.

> Daniel, un salarié, paiera tout au long de l'année de l'impôt selon le taux d'imposition effectif par des retenues d'impôt à la source (débitées de son chèque de paie). Yvan, un travailleur autonome qui n'est pas assujetti aux retenues d'impôt à la source, paiera de l'impôt tout au long de l'année en versant des acomptes provisionnels. ▪

Les acomptes provisionnels sont généralement calculés selon le revenu déclaré l'année précédente. Les retenues d'impôt à la source et les acomptes provisionnels permettent en quelque sorte d'étaler les paiements d'impôt tout au long de l'année.

Le taux d'impôt marginal est le taux qui s'applique à chaque dollar de revenu additionnel. À titre d'exemple, en 2010, une personne qui avait un revenu imposable de 50 000 \$ devait payer 11 846 \$ (soit 20 %) en impôts combinés fédéral et provincial, selon le taux d'imposition effectif applicable à cette tranche de revenu. Si cette personne avait retiré 5 000 \$ de son REER (ou de son

FERR), ce retrait aurait été imposable à 38,4 %, selon le taux marginal d'imposition en vigueur à ce moment-là. *A contrario*, si cette même personne qui gagnait 50 000 $ avait cotisé à un REER une somme de 5 000 $, elle aurait bénéficié d'un remboursement d'impôt de 1 920 $ (38,4 % × 5 000 $) grâce à la déduction de la cotisation REER.

Vous verrez près de la moitié de vos revenus (48,2 %) s'envoler en impôt seulement si l'ensemble de vos revenus au cours d'une année excède 127 021 $ (en 2010). Il est donc faux de croire que la moitié de votre REER sera remis au fisc lors du retrait des fonds quand vous serez à la retraite. Seuls les gens qui gagneront au cours d'une année donnée un revenu supérieur à environ 125 000 $[29] et qui retireront par exemple 5 000 $ de leur REER devront acquitter une facture fiscale représentant près de la moitié du retrait de leur REER, soit plus précisément 48,2 %, ou 2 400 $ dans ce cas.

> **Outre le taux marginal et le taux effectif, il existe une multitude de programmes sociaux fiscaux qui font varier votre imposition réelle d'une année selon votre admissibilité à ces programmes. Il est préférable de parler de fardeau fiscal plutôt que d'impôt à payer.**

■ **COMMENT FAIRE EN SORTE MAINTENANT DE PAYER MOINS D'IMPÔTS PLUS TARD ?**

Les 3 D de la fiscalité

Toute stratégie fiscale a l'un des trois grands objectifs suivants : **d**éduire des sommes imposables, **d**ifférer des sommes d'impôt à payer ou **d**iviser des sommes imposables. La cotisation au REER permet la réalisation de ces trois objectifs, soit la déduction fiscale lors de la cotisation, le report de l'impôt (différer) à payer sur la cotisation REER et sur les gains qui s'accumulent dans le REER, et le fractionnement (soit la division) par les cotisations au REER du conjoint ou avec l'application des règles de fractionnement des revenus de pension.

Il existe certaines stratégies de planification que vous pouvez mettre en place dès maintenant afin de réduire vos impôts à la retraite. Ces stratégies sont peu nombreuses, mais elles gagnent à être connues. Parmi elles, nous comptons entre autres les cotisations au REER du conjoint, les cotisations au CELI, les prêts au conjoint ou encore le bilan conjoint équilibré. Pour ceux d'entre vous qui vivez seuls et êtes sans conjoint, vous ne pourrez conséquemment pas profiter de ces mesures de fractionnement de revenus. Toutefois, vous pouvez profiter de certains crédits d'impôt qui s'adressent particulièrement à vous, c'est-à-dire le crédit pour personnes vivant seules, non offert aux couples, il va de soi. Aussi, ne recevant qu'un seul revenu « dans la famille », vous pourriez être admissible à certains programmes sociaux fiscaux, comme le retour de TPS et de TVQ, ce qui n'est bien souvent pas le cas pour un couple, puisque le revenu des deux est considéré. D'ailleurs, bien des crédits et déductions fiscales considèrent le revenu net familial, soit l'addition des deux revenus d'un couple, ce qui souvent les disqualifie. Voilà pourquoi il existe des mesures et des stratégies particulières permettant aux couples de fractionner leurs revenus afin de réduire leur facture fiscale familiale.

Attention aux règles d'attribution

Les stratégies de fractionnement de revenus entre conjoints ne sont pas sans risques. Ce sont des mesures fiscales à considérer avec précaution.

Considérant que chaque personne est imposée sur l'ensemble de ses revenus au cours d'une année selon des taux d'imposition progressifs, et que chaque personne a droit à des exemptions de base sur sa première tranche de revenu, il peut être tentant de transférer des biens au nom de son conjoint afin de diminuer les impôts « de la famille ». Si cette stratégie vous tente, méfiez-vous : le fisc y a aussi pensé et a mis en place des règles d'attribution qui empêchent les gens de faire imposer à un taux moins élevé des revenus gagnés.

Le don d'argent au conjoint

Selon les règles d'attribution, toute perte ou tout revenu est considéré comme celui du conjoint cédant (celui qui donne). Si, par exemple, Jean fait un chèque de 10 000 $ à Lisette, et que celle-ci place ces 10 000 $ dans un certificat de placement garanti rapportant 5 % d'intérêt, bien que le placement et le reçu aux fins d'impôt soient au nom de Lisette, le revenu d'intérêt de 500 $ devra être ajouté à la déclaration fiscale de Jean, comme si le placement avait été fait à son nom. Les règles d'attribution ont pour mission de réattribuer le revenu au conjoint cédant. Si Lisette investit ensuite ses 500 $ de revenu d'intérêt, les intérêts gagnés sur cette somme seraient alors imposables pour elle, et le fractionnement souhaité fonctionnerait.

Il est aussi important de déclarer adéquatement les revenus dans un compte conjoint. Faites attention ! Ce n'est pas parce que le relevé aux fins d'impôt arrive aux deux noms que les revenus sont nécessairement imposables à raison de 50 % chacun. La règle fiscale veut que ce soit le conjoint ayant contribué au capital qui soit imposé sur les revenus qui en découlent. C'est entre autres à cause des règles d'attribution qu'il est important de mettre en place des stratégies visant à équilibrer vos avoirs entre conjoints. Une fois qu'ils sont accumulés à votre nom, vous ne pouvez pas transférer des actifs à votre conjoint sans conséquences fiscales.

Donner à ses enfants ou à ses petits-enfants

Outre les transactions entre conjoints, il faut aussi se méfier des transactions faites avec des enfants (ou petits-enfants) mineurs. Les règles d'attribution ne s'appliquent généralement pas lors d'un don à un enfant majeur. Toutefois, vous pourriez subir un impact fiscal selon le type de bien donné.

Ainsi, si vous faites un don à votre enfant (ou petit-enfant) majeur (âgé de 18 ans ou plus) en faisant un chèque de votre compte, vous n'avez pas à vous soucier de la fiscalité. Vous ne subirez aucun impact fiscal et les règles d'attribution ne s'appliqueront pas dans de telles circonstances. Toutefois, la source du bien donné pourrait peut-être vous faire subir un impact fiscal comme donateur. Si vous donnez par exemple à votre enfant majeur votre chalet, un immeuble locatif ou une partie de vos placements, vous pourriez devoir payer de l'impôt suivant la disposition (soit la vente ou la vente présumée) de ce bien en changeant son propriétaire (soit de vous à votre enfant).

Le transfert de biens à des personnes liées

Une autre mesure fiscale exige que les transactions effectuées entre personnes liées (soit avec le conjoint[30], les enfants ou des membres de la famille) soient faites à leur juste valeur marchande. Ainsi, si vous donnez (sans rien recevoir en contrepartie) votre chalet à votre enfant majeur, par exemple, vous pourriez être imposé sur un « gain en capital fictif » calculé selon la juste valeur marchande établie au moment du transfert à l'enfant, et duquel la valeur d'achat (ajustée selon certains frais) sera déduite. Il est important de mentionner que la juste valeur marchande devra être établie par un expert, et non pas par les parties concernées. L'évaluation municipale n'est pas suffisante dans un tel contexte.

Voici un tableau qui résume les impacts fiscaux possibles selon le type de bien donné.

IMPACTS FISCAUX D'UN DON DE BIEN À UN ENFANT MAJEUR

BIEN	IMPACT
Sommes d'un compte bancaire	Aucun impact fiscal pour le donateur.
Don de la résidence familiale	Aucun impact fiscal pour le donateur.
Don du chalet	Gain en capital imposable pour le donateur. Si le chalet est disposé à un coût moindre que son coût d'acquisition, les règles fiscales diffèrent s'il s'agit d'un chalet à usage personnel ou locatif.
Don d'un immeuble locatif	Gain en capital imposable pour le donateur (ou perte en capital déductible). Possibilité de payer des impôts sur la récupération d'amortissement si des déductions ont été demandées à cet effet.
Don d'un portefeuille de placements	Gain en capital imposable pour le donateur (ou perte en capital déductible).

N.B. : Les pertes en capital ne peuvent être déduites qu'à l'encontre d'un gain en capital. Elles sont reportables sur les trois années précédant leur réalisation ou indéfiniment dans le futur. Au décès, elles peuvent devenir des pertes déductibles contre tout revenu.

Exceptions de l'application des règles d'attribution entre conjoints

L'affaire se corse lorsqu'on prend conscience des exceptions aux règles d'attribution sur le revenu entre conjoint. Par exemple, celles-ci ne visent pas le revenu d'entreprise non incorporé qui pourrait être gagné par le conjoint. Si une somme est donnée au conjoint afin qu'il exploite une entreprise non incorporée, cette mise de fonds n'est pas attribuée au conjoint qui l'a fournie.

Voici un tableau qui résume si oui ou non les règles d'attribution s'appliquent sur le revenu particulier lors d'un don à un enfant mineur, majeur ou au conjoint.

LES DONS IMPOSABLES SELON LES RÈGLES D'ATTRIBUTION

TYPES DE REVENU GAGNÉ PAR :	INTÉRÊTS	DIVIDENDES	GAIN/PERTE EN CAPITAL	REVENU D'ENTREPRISE NON INCORPORÉE
UN ENFANT MINEUR	Oui	Oui	Non	Non
UN ENFANT MAJEUR	Non	Non	Non	Non
LE CONJOINT	Oui	Oui	Oui	Non

■ DES STRATÉGIES POUR ÉQUILIBRER LES PATRIMOINES

Il existe des stratégies qui peuvent être mises en place au fil du temps afin d'éviter l'application des règles d'attribution.

L'un paie les dépenses et l'autre économise

Faire assumer l'ensemble des dépenses familiales par le conjoint qui a le revenu le plus élevé et laisser l'autre conjoint investir l'ensemble de ses revenus serait une stratégie simple qui permettrait à un couple de réduire ses impôts et d'équilibrer le patrimoine. Cette façon de procéder n'engendrerait pas l'application des règles d'attribution. Dans un tel cas, ce n'est pas la fiscalité qui est préoccupante, mais plutôt l'état civil et le régime matrimonial. Seuls les conjoints mariés ou unis civilement sous le régime de la société d'acquêts peuvent mettre en place cette stratégie sans se questionner outre mesure sur les conséquences possibles en cas de rupture.

Le prêt au conjoint

Faire un prêt à votre conjoint serait une autre stratégie qui permettrait de fractionner les revenus tout en évitant l'application des règles d'attribution. Un vrai prêt avec des intérêts facturés au moins au taux prescrit[31] (communément appelé «taux du marché»), qui seraient payés au conjoint prêteur dans les 30 jours suivant la fin de l'année civile, permettrait de ne pas attribuer les revenus au conjoint prêteur. D'ailleurs, ce procédé est devenu la stratégie fiscale de l'heure, au deuxième trimestre de 2009, lorsque le taux d'intérêt prescrit a atteint un seuil historiquement bas à 1 %.

Cette stratégie est complexe et nécessite l'intervention de plusieurs spécialistes, mais elle est intéressante pour les couples dont l'un des conjoints possède plus d'actifs que l'autre et dont le taux d'imposition est nettement supérieur à celui de son conjoint.

Cotiser au REER du conjoint

Cotiser au REER de son conjoint est une stratégie qui gagne à être mise en place tôt. Cela permet d'économiser de l'impôt plus tard (souvent à la retraite) et d'éviter l'application des règles d'attribution. La décision de mettre cette stratégie en place se prend au moment de la cotisation au REER. Une fois l'argent cotisé, il est trop tard pour revenir en arrière.

Par les cotisations REER entre conjoints, il faut tenter d'équilibrer les patrimoines. Il faut éviter qu'au moment de décaisser les REER un seul des conjoints se retrouve à en assumer le fardeau fiscal. Si vous participez à un régime de retraite auprès de votre employeur, vous devriez envisager sérieusement de faire vos cotisations au REER de votre conjoint. Prévoir le fractionnement de revenu à la retraite pourrait vous faire économiser beaucoup d'impôts plus tard...

À titre d'exemple, en 2010, un seul revenu de 80 000 $ entraîne 23 472 $ en impôts. Si cette même somme de 80 000 $ avait plutôt été gagnée à raison de 40 000 $ par conjoint, l'impôt total familial aurait été de 16 132 $, soit une économie d'impôts de 7 340 $ pour le couple.

Cotiser au REER de son conjoint n'est pas une stratégie sans risques. Au-delà des avantages fiscaux futurs, votre type d'union devrait aussi influencer votre décision de cotiser ou non au REER de votre conjoint. Un REER investi au profit de son conjoint est considéré comme un cadeau. Vous n'avez plus aucun droit sur l'argent investi dès qu'il est cotisé à son nom.

Au Québec, pour les couples légalement mariés ou unis civilement, et conséquemment soumis aux règles régissant le patrimoine familial, cotiser au REER du conjoint ne pose aucun de problème. Qu'elle soit faite à votre nom ou au nom de votre conjoint après la célébration de la noce, une contribution REER fait partie intégrante du patrimoine familial. En cas de séparation ou de divorce, les sommes accumulées dans les REER des deux conjoints seront considérées dans le partage des biens. Pour les conjoints de fait, ce n'est pas la même histoire. La raison en est fort simple. Les conjoints de fait qui sont reconnus aux yeux du fisc après une année de vie commune ou suivant la naissance d'un enfant ne sont pas reconnus dans le Code civil du Québec aux fins du partage du patrimoine familial. Ainsi, en cas de rupture de conjoints de fait, il n'existe présentement aucun recours légal « automatique » pour récupérer ou partager les sommes investies dans les REER. En l'absence de règles de partage pour les conjoints de fait en cas de séparation, une contribution REER au profit d'un conjoint de fait est une preuve d'amour flagrante mais demeure toutefois une solution fiscalement avantageuse !

Les gens désireux d'utiliser la stratégie de cotisation au REER de leur conjoint de fait pourraient prévoir des modalités de partage en cas de rupture par la rédaction d'une convention de vie commune.

Trois fois le 31 décembre...

Afin de profiter du fractionnement de revenu souhaité par une contribution au REER de votre conjoint, il devra attendre trois périodes incluant le 31 décembre suivant la dernière contribution que vous aurez faite à son REER avant de retirer les fonds. Avant ce délai, le fractionnement de revenu souhaité ne fonctionnerait pas. C'est le cotisant au REER qui serait imposé sur les sommes retirées par le conjoint bénéficiaire. Une autre règle d'attribution ! Cette mesure technique des « trois fois le 31 décembre » ne s'applique plus aux conjoints séparés ou divorcés.

Il est aussi important de préciser que, même s'il y a eu des cotisations faites dans les années précédant les trois périodes incluant le 31 décembre, vous ne pouvez pas choisir de retirer ces premières cotisations. Le fisc suppose que ce sont les dernières cotisations faites au REER du conjoint qui sont retirées en premier, peu importe l'institution financière où ont été faites les cotisations.

En juin 2010, Jean a cotisé 2 500 $ au REER de sa conjointe, Lisette. Celle-ci recevra à son nom les relevés d'impôt et les états de compte du REER sur lesquels il sera indiqué « conjoint cotisant : Jean ». Bien que les relevés d'impôts soient au nom de Lisette, c'est Jean (le conjoint cotisant) qui devra demander une déduction fiscale du REER dans sa déclaration d'impôt. Afin de s'assurer que le retrait du REER sera imposé dans la déclaration fiscale de Lisette, elle devra attendre trois périodes comprenant le 31 décembre avant de retirer ce REER. Dès le 1er janvier 2013, si Lisette retire ce REER, le retrait figurera sur sa déclaration fiscale à elle, bien que ce soit son conjoint qui aura profité de la déduction fiscale de la cotisation REER en 2010. Dans un tel cas, le fractionnement des revenus grâce à une cotisation au REER du conjoint serait réussi. ■

Si vous cotisez au REER de votre conjoint, faites votre cotisation en décembre plutôt qu'en janvier de l'année suivante afin de réduire la période durant laquelle les règles d'attribution sur le revenu pourraient s'appliquer.

Reprenons l'exemple de Jean et supposons qu'il a cotisé au REER de conjoint de Lisette depuis 1991 à raison de 2 500 $ par année. Supposons maintenant que Lisette retire une somme de 10 000 $ en 2010. Les cotisations versées durant l'année en cours et les deux dernières années, soit un total de 7 500 $ pour 2010, 2009 et 2008, seront imposables pour Jean (le cotisant), et la différence de 2 500 $ sera imposable pour Lisette. ■

Cotiser au REER du conjoint, d'accord,
mais selon les droits de cotisations de qui ?
Les cotisations au REER du conjoint sont possibles selon les droits de cotisations du conjoint cotisant, et non pas de ceux du conjoint bénéficiaire. Ces droits de cotisations sont détaillés sur l'avis de cotisation fédéral que nous recevons annuellement après la production de notre déclaration de revenus. Le maximum déductible

au titre des REER pour une année donnée prend en
compte les droits de cotiser de l'année précédente, les
cotisations au REER faites au cours d'une année, les
nouveaux droits de cotiser selon les revenus admissibles au cours de l'année et les cotisations faites dans un
régime de pension agréé, s'il y a lieu.

AVIS DE COTISATION DE JEAN

DATE	NOM	NAS	ANNÉE D'IMPOSITION	CENTRE FISCAL
	Jean	987 654 321	2009	

État du maximum déductible au titre des REER pour 2010

Maximum déductible au titre des REER pour 2009 ....24 167 $

Moins : cotisations admissibles à un REER
    déduites en 2009..3 265 $

Déductions inutilisées au titre des REER à la fin de 2009.... 20 902 $

Plus : 18 % du revenu gagné en 2009,
    soit 38 103 $ = (maximum 20 000 $).....................6 859 $

        Moins : facteur d'équivalence de 2009.............0,00 $

Moins : facteur d'équivalence
    pour services passés net de 2009 ....0,00 $

Plus : facteur d'équivalence rectifié de 2009 ....0,00 $

Votre maximum déductible au titre
    des REER pour 2010 ....27 761 $ *(A)

Vous avez 1 051 $ (B) de cotisations inutilisées à un REER disponibles
pour 2010. Si ce montant dépasse le montant (A) ci-dessus, vous pourriez avoir à payer un impôt sur les cotisations excédentaires.

Selon cet exemple, en 2010, Jean disposait de 26 710 $
de droits de cotisation à un REER, soit 27 761 $ (case A)
moins 1 051 $ (case B), qui représente une somme déjà
cotisée à un REER et non déduite. Jean pourrait donc
cotiser jusqu'à 26 710 $ à son REER ou à celui de Lisette,
sa conjointe.

Cotiser à un REER sans déduction fiscale

Il est possible de cotiser à un REER (le vôtre ou celui de votre conjoint) sans demander la déduction fiscale l'année de la cotisation. Cette situation est plutôt rare, mais peut être intéressante dans le cas de cotisations importantes à un REER (ce qu'on appelle souvent le « rattrapage des droits de cotisations inutilisés »). Si vous avez reçu un héritage ou une somme d'argent importante, il pourrait alors être avantageux de cotiser afin de bénéficier de l'accumulation à l'abri de l'impôt et d'étaler la déduction fiscale sur plusieurs années.

Ce sont les sommes cotisées et non déduites qui figurent à la case B de votre avis de cotisation.

Cotiser au REER les 2 000 $ excédentaires

Si vous cotisez à un REER sans demander la déduction fiscale la même année, vous retrouverez cette somme non déduite à la case B de votre avis de cotisation fédéral. Cette somme (dans la case B) ne doit pas excéder de plus de 2 000 $ la somme dans la case A du même avis. Si vous cotisez plus d'argent qu'il vous est permis de le faire, ce qui dépasse le 2 000 $ de cotisation excédentaire permise sera assujetti à une pénalité mensuelle de 1 %.

Comme l'indique la case A de son avis de cotisation, Jean peut cotiser 27 761 $ à un REER au cours de l'année. Considérant que sa case B indique un solde de cotisations non déduites de 1 051 $, ses droits de cotisation sont en réalité de 26 710 $. Si Jean cotise 35 000 $, et considérant la limite de cotisations excédentaires permise de 2 000 $, Jean devra payer une pénalité mensuelle de 1 % sur une somme de 6 290 $ (soit 35 000 $ moins 26 710 $ moins 2 000 $), ce qui lui coûterait 62,90 $ par mois ou 754,80 $ par année. ∎

Si au fil des ans vous avez par mégarde trop cotisé à un REER (au-delà du tampon de cotisation excédentaire de 2 000 $), il est important de rétablir la situation au plus vite en rachetant les REER cotisés en trop. Ce rachat de cotisations excédentaires se fera sans impact fiscal, puisqu'elles n'auront jamais été déduites. Il est donc important de vous assurer que la somme dans la case B de votre avis de cotisation ne dépasse pas la somme indiquée dans la case A. Si tel était le cas, n'hésitez pas à en parler avec un professionnel de l'impôt ou au personnel de votre institution financière, qui seront en mesure de vous conseiller adéquatement afin de rétablir vos droits de cotisations REER dans la mesure du possible et d'éviter des frais de pénalité.

Cotiser au CELI : un véhicule pour économiser de l'impôt, que l'on soit seul ou en couple

> Depuis la naissance du REER, en 1957, le compte d'épargne libre d'impôt (CELI) est sans aucun doute l'un des plus beaux cadeaux offerts aux investisseurs !

Depuis janvier 2009, toute personne âgée de 18 ans et plus peut verser chaque année jusqu'à 5 000 $ dans un CELI. Ce montant est indexé annuellement depuis 2010 et arrondi aux 500 $ près. Contrairement au REER, les droits de cotisation au CELI ne seront pas attribués selon les revenus gagnés. Ainsi, suivant notre exemple précédent, Lisette, qui est sans emploi, aurait des droits de cotisation à un CELI, mais pas à un REER, puisqu'elle n'a pas de revenu admissible au REER.

> Les cotisations au CELI ne sont pas déductibles d'impôt. Conséquemment, les retraits d'un CELI ne seront pas imposables. Voilà

une autre grande différence entre le CELI et le REER. Les retraits d'un CELI n'étant pas imposables, ils ne seront pas non plus considérés pour l'admissibilité de certains programmes sociaux fiscaux (PSV, SRG, etc.).

Une autre particularité intéressante du CELI est que les droits seront cumulatifs et ajustés en fonction des retraits. Vous avez bien lu ! Les retraits créeront de nouveaux droits de cotisation. Prenons l'exemple suivant pour mieux comprendre.

Supposons que Jean a fait des cotisations de 5 000 $ au CELI en 2009, en 2010 et en 2011 (pour une cotisation totale de 15 000 $). À un taux de rendement annuel de 5 %, ce montant s'élèverait à 16 551 $ à la fin de 2011. Si, pour quelque raison que ce soit, Jean décidait de retirer la totalité de son CELI (et ce, sans impact fiscal), ses nouveaux droits de cotisation en 2012 seraient alors de 21 551 $ (soit 5 000 $ pour 2012 + 16 551 $, la somme retirée l'année précédente). ■

Le CELI, le conjoint et les règles d'attribution

Le CELI permet aussi d'éviter l'application des règles d'attribution vues précédemment. Ainsi, Jean pourrait donner jusqu'à 5 000 $ par année à Lisette afin qu'elle cotise à un CELI. De cette façon, les revenus d'intérêts ne lui seraient pas attribués. Toutefois, si Lisette retire son argent du CELI et le place dans un autre véhicule de placement rapportant un revenu d'intérêt, ceux-ci seraient imposables pour Jean selon l'application des règles d'attribution. Pour toutes ces petites particularités techniques qu'il est facile d'oublier, il est recommandé que les deux conjoints fassent affaire avec le même professionnel de l'impôt et se renseignent auprès du même conseiller en placement.

Le CELI et le type d'union

Un peu comme dans le cas des cotisations au REER du conjoint, les sommes données au conjoint de fait afin qu'il cotise à un CELI ne sont pas partageables en cas de rupture de l'union. La rédaction d'une convention d'union de vie commune serait donc souhaitable.

Contrairement aux cotisations au REER, les sommes données à un conjoint légalement marié ou uni civilement afin qu'il cotise à un CELI pourraient aussi être une preuve d'amour aveugle... Les sommes accumulées dans un CELI ne seraient pas considérées dans le partage du patrimoine familial. Seuls les conjoints mariés sous le régime de la société d'acquêts verraient les sommes accumulées dans les comptes CELI considérées dans le partage des acquêts en cas de séparation ou de divorce. Ouf! Vous retrouverez au chapitre précédent des informations sur les régimes matrimoniaux, le patrimoine familial, le divorce et le décès.

Cotiser au CELI ou au REER ?

Deux véhicules d'épargne nous sont maintenant offerts. Voyons dans quel cas cotiser au CELI serait plus intéressant que de cotiser au REER. Reprenons l'exemple de Jean, qui dispose de 5 000 $. En considérant le remboursement d'impôt généré par la cotisation au REER, évaluons quatre scénarios possibles.

Grâce à cet exemple, il est facile de constater que, si le taux marginal d'imposition au moment de la cotisation au REER est identique au taux marginal d'imposition au moment du retrait du REER ou du CELI, l'investissement dans un REER est identique à celui qui est fait dans un CELI (scénarios 1 et 2).

SCÉNARIOS CELI CONTRE REER

	SCÉNARIO 1 CELI	SCÉNARIO 2 TMI* le même à la cotisation et au retrait	SCÉNARIO 3 TMI plus faible à la cotisation	SCÉNARIO 4 TMI plus élevé à la cotisation
TAUX D'IMPOSITION MARGINAL LORS DE LA COTISATION		38 %	28 %	38 %
TAUX D'IMPOSITION MARGINAL ESTIMATIF LORS DU RETRAIT		38 %	38 %	28 %
TAUX DE RENDEMENT DANS LE CELI OU DANS LE REER	5 %	5 %	5 %	5 %
	CELI	REER	REER	REER
COTISATION VERSÉE	5 000 $	8 065 $	6 944 $	8 065 $
RETOUR D'IMPÔTS	-	(3 065 $)	(1 944 $)	(3 065 $)
COTISATION NETTE, OU COÛT RÉEL APRÈS LE REMBOURSEMENT D'IMPÔTS	5 000 $	5 000 $	5 000 $	5 000 $
VALEUR DU COMPTE DANS 10 ANS AVEC LES INTÉRÊTS	8 144 $	13 136 $	11 312 $	13 136 $
IMPÔTS À PAYER SI RETRAIT DES FONDS SELON LE TAUX D'IMPÔT ESTIMATIF PRÉCITÉ	-	(4 992 $)	(4 298 $)	(3 678 $)
VALEUR APRÈS IMPÔT	8 144 $	8 144 $	7 013 $	9 458 $

*TMI = taux moyen d'imposition

Dans les cas où le taux marginal d'imposition lors du retrait serait inférieur à celui qui est en vigueur au moment de la cotisation, le REER est plus avantageux (scénario 4) que le CELI (scénario 1). Si au contraire il est plausible qu'au moment du retrait des fonds (possiblement à la retraite) le taux d'imposition marginal soit plus élevé que le taux d'imposition marginal lors de la cotisation, le CELI gagne la partie (scénario 1). Le scénario 3 pourrait être possible pour les travailleurs cotisant

à de généreux régimes de retraite à prestations déterminées, pour des propriétaires d'immeubles à revenus ou encore pour des propriétaires d'entreprise qui
ne se versent pas de gros salaires actuellement et qui
risquent d'avoir des revenus imposables supérieurs à
la retraite.

> **Il vaut mieux prioriser les cotisations au REER si votre taux d'imposition marginal à la retraite est inconnu. Le CELI pourrait vous servir à épargner à court terme ou à faire des épargnes additionnelles.**

REER, CELI ou dettes?

Le tableau suivant résume la fiscalité du CELI et du
remboursement d'une dette dont les intérêts ne sont
pas déductibles d'impôts (prêts personnels, hypothèques, etc.).

IMPOSITION – CELI OU REMBOURSEMENT D'EMPRUNT

IMPOSITION	CELI	REMBOURSEMENT D'EMPRUNT
À l'entrée	Non applicable (augmente l'actif)	Non applicable (diminue le passif)
Pendant	Non imposable	Non imposable
À la sortie	Non imposable	Non imposable
Impact sur la valeur nette	Augmente la valeur nette	Augmente la valeur nette

Comme nous pouvons le constater, la fiscalité d'un
remboursement de dette est le miroir de celle du CELI.
Autrement dit, dans les deux cas, il n'y a d'imposition ni
au moment de l'entrée, ni pendant l'accumulation, ni à
la sortie. Mais une contribution au CELI augmente votre
actif, alors que le remboursement d'une dette diminue
le passif. L'impact sur votre valeur nette (actif/passif)
est identique.

Lorsque vous faites votre choix, n'oubliez pas que le remboursement d'une dette procure un rendement certain (coût de l'emprunt), alors que le rendement de vos placements est souvent espéré et estimé seulement, par exemple pour les actions ou un fonds commun de placement dans des obligations ou des actions.

Pour savoir si vous devez rembourser une dette ou contribuer à un CELI, il suffit de comparer le rendement espéré du CELI au coût de votre emprunt. Si le coût de l'emprunt est supérieur au rendement de votre placement, remboursez votre dette. Si c'est l'inverse, alors contribuez au CELI. Si le rendement espéré est égal au coût de la dette, il est préférable de choisir l'option la moins risquée, soit le remboursement de la dette.

Le CELI à la rescousse des impôts des retraités
Parce qu'il est imposable, un retrait REER (ou FERR) s'ajoute à vos revenus de l'année. Dans ce cas, votre facture fiscale serait plus élevée, et vous pourriez même devoir rembourser une partie de votre Pension de la Sécurité de la vieillesse (PSV) ou ne plus être admissible à certains programmes sociaux et fiscaux (comme le remboursement de la TPS et de la TVQ). Les retraits d'un CELI ne figureront pas sur votre déclaration fiscale, vous permettant ainsi de profiter des programmes gouvernementaux auxquels vous avez droit ou de conserver votre PSV.

Contrairement au REER, qui arrive à terme le 31 décembre de l'année au cours de laquelle vous atteignez 71 ans, le CELI n'a pas de date d'échéance. Vous pourrez y cotiser toute votre vie, peu importe votre âge (minimum 18 ans) ou vos revenus !

De plus, tout comme dans le compte REER, chaque dollar gagné dans un CELI sera à l'abri de l'impôt.

À votre décès, l'actif détenu dans un CELI pourra être remis aux héritiers de votre choix ou être transféré à votre conjoint sans répercussions sur ses droits de cotisation. Si ce sont vos enfants qui héritent de votre CELI, la totalité du compte au moment de votre décès pourra leur être remise sans incidence fiscale. Par contre, l'argent ne demeurera pas dans un compte CELI. Vos enfants héritiers pourront cotiser à leur CELI les sommes reçues en héritage seulement s'ils ont des droits de cotisations. Sinon, ils devront investir la somme autrement.

Si vous disposez de placements non enregistrés et de liquidités, ne négligez pas de les investir dans un CELI sans tarder afin de ne pas être imposé sur les revenus.

Revenus à l'abri de l'impôt, retraits non imposables, droits de cotisation cumulatifs rajustés en fonction des retraits, absence d'une date d'échéance, transfert à la succession sans disposition présumée au décès, possibilité de ne pas être soumis aux règles d'attribution : ce sont là pour les retraités les grands avantages qu'offre le CELI par rapport au REER.

Équilibrer les patrimoines

Équilibrer les patrimoines entre conjoints est une autre stratégie de fractionnement de revenus qui gagne à être mise en place tôt.

Afin d'épargner maintenant avec l'objectif de payer moins d'impôts plus tard, vous devez tenter d'équilibrer votre patrimoine avec celui de votre conjoint. Bien qu'il puisse avoir un revenu plus élevé que son conjoint, un individu ne devrait pas se retrouver avec une valeur nette de loin supérieure à celle de son conjoint.

Afin de connaître votre valeur nette et celle de votre conjoint, il suffit de faire votre bilan personnel.

Combien valez-vous ? Faire votre bilan vous permettra de le savoir ! Pour faire votre bilan, vous devez simplement additionner vos actifs, desquels il vous faudra déduire le total de vos passifs. On pourrait dire que le bilan représente ce que vous avez moins ce que vous devez.

Afin d'établir de bonnes stratégies de planification successorale et de fractionnement de revenus, assurez-vous de bien répartir vos actifs et vos dettes entre vous, votre conjoint et ce qui vous est commun.

Une analyse de votre bilan vous donnera un portrait de votre situation financière. De plus, il sera facile de constater à même votre bilan vos surplus de liquidités s'il y a lieu, les types de biens que vous détenez et votre niveau d'endettement.

Enfin, fixez-vous des objectifs financiers et faites votre bilan régulièrement afin de mieux évaluer vos performances financières. Alors, sortez vos calculatrices et vos relevés de comptes...

BILAN PERSONNEL

	MONSIEUR	MADAME	TOTAL
BIENS LIQUIDES ET SEMI-LIQUIDES			
CELI			
BIENS NON ENREGISTRÉS			
BIENS ENREGISTRÉS			
BIENS PRODUCTIFS			
BIENS PERSONNELS			
BIENS TOTAUX			
DETTES À COURT TERME			
DETTES HYPOTHÉCAIRES			
DETTES TOTALES			
AVOIR NET			

Dans les biens liquides et semi-liquides, vous indiquez les soldes de vos comptes bancaires, les placements rachetables en tout temps ou les fonds de marché monétaire et les placements arrivant à échéance dans moins d'un an.

Dans les biens non enregistrés, indiquez tous vos autres placements (fonds communs, actions, certificats de placement non échus, etc.).

Dans les biens enregistrés, vous mettez bien entendu vos REER (ou FERR), CRI (compte de retrait immobilisé), FRV (fonds de revenu viager), les REEE dont vous êtes le cotisant et même la valeur de votre régime de retraite. Vous pourriez être étonné de la valeur qui se cache dans votre régime de retraite. Votre relevé annuel indique généralement la valeur qui vous serait payable en cas de cessation d'emploi. Pour connaître cette valeur, vous devez communiquer avec l'administrateur de votre régime de retraite.

Vos biens générateurs de revenus pourraient inclure la valeur d'une société ou d'un immeuble locatif, par exemple.

Votre maison et votre chalet se retrouvent dans la catégorie des biens personnels. Vous pouvez aussi ajouter ici vos biens comme une voiture, un bateau, un véhicule récréatif, une œuvre d'art…

Dans vos dettes à court terme, mettez le solde de vos dettes sur vos cartes de crédit ou encore le solde de votre marge de crédit ou d'un emprunt personnel. N'oubliez pas d'inclure la valeur de vos emprunts sur lesquels vous ne remboursez pas de capital actuellement. Les achats sous forme de «ne payez rien avant…» sont une dette et devront être remboursés un jour. Ajoutez le solde de votre hypothèque.

Après avoir fait les totaux, il ne vous reste plus qu'à déduire vos passifs de vos actifs afin de connaître votre valeur nette.

Si vous êtes en couple et que le poids du bilan personnel conjoint penche en votre faveur, afin d'équilibrer les patrimoines, vous pourriez songer à mettre en place une stratégie de fractionnement de revenu comme celle que nous avons décrite précédemment.

■ DES MESURES FISCALES AVANTAGEUSES POUR LES FUTURS RETRAITÉS

Pour permettre aux retraités actuels et futurs d'alléger leur facture fiscale, de nouvelles mesures ont été mises en place au cours des dernières années. En voici quelques-unes.

Fractionnement des revenus de pension

Les nouvelles mesures fiscales annoncées par le ministre des Finances du Canada dans le cadre de son plan d'équité fiscale en octobre 2006 font sans doute plaisir à plus d'un retraité !

Le fractionnement des revenus de pension permet à une personne (que l'on nomme le « cédant ») d'attribuer une certaine partie (maximum 50 %) de son revenu admissible à son « conjoint admissible » (que l'on nomme le « cessionnaire ») sans avoir à lui verser un seul sou !

Considérant que le taux d'imposition augmente en fonction du revenu personnel (tel que décrit précédemment), le fait d'attribuer une partie de son revenu à son conjoint admissible (le cessionnaire) permettra dans plusieurs cas des économies d'impôts importantes au conjoint cédant et, conséquemment, des économies d'impôt à son foyer.

En plus des économies d'impôts, dans certains cas, le fractionnement des revenus de pension permettra même au conjoint cédant de profiter enfin de sa Pension de la Sécurité de la vieillesse (sans devoir en retourner une partie[32]), ce qui était mission impossible avant la mise en place de ces mesures fiscales.

Quels revenus peuvent être fractionnés ?

Les revenus admissibles au fractionnement sont ceux qui sont déclarés par le conjoint cédant. L'âge du conjoint cessionnaire (à qui on attribue le revenu) n'a aucune importance. Ce sont les sommes qui donnent droit au crédit d'impôt pour revenus de pension fédéral qui peuvent faire l'objet d'un fractionnement (même au Québec).

En résumé, les revenus de pension admissibles au fractionnement des revenus de pension sont les suivants.

- Si vous avez 65 ans et plus : les rentes d'un régime enregistré d'épargne-retraite (REER), les retraits d'un fonds enregistré de revenu de retraite (FERR), les retraits d'un FRV (c'est-à-dire un FERR immobilisé) ou les rentes d'un régime de participation différée aux bénéfices (RPDB).

- Si vous êtes âgé de moins de 65 ans : les paiements de rente viagère d'un régime de pension agréé (RPA) et certains autres paiements reçus par suite du décès du conjoint.

Parmi les types de revenus non admissibles (peu importe votre âge), on retrouve entre autres la Pension de la Sécurité de la vieillesse (PSV), le Supplément de revenu garanti (SRG), les prestations du Régime de pensions du Canada (RPC) et du Régime de rentes du Québec (RRQ), les rentes de REER, de FERR et de RPDB si le prestataire a moins de 65 ans, les retraits d'un REER, les sommes reçues en vertu d'une convention de retraite et les rentes de retraite étrangères non imposables au Canada.

> **Considérant qu'un retrait REER n'est pas admissible au fractionnement des revenus de pension, prenez l'habitude de transférer votre REER en FERR et d'effectuer le retrait de votre compte FERR plutôt que de retirer directement de votre compte REER.**

Comment profiter du fractionnement des revenus de pension?

Ce n'est que lors de la production de vos déclarations fiscales annuelles que vous pourrez en profiter. Pour cela, un choix devra être signé chaque année conjointement par le conjoint cédant et par le conjoint cessionnaire lors de la production de leurs déclarations fiscales.

En attribuant à son conjoint des revenus de pension admissibles, le conjoint cédant devra aussi attribuer, dans les mêmes proportions que ses revenus, les retenues d'impôt à la source qui ont déjà été faites sur les revenus qu'il fractionne. Il ne s'agira pas d'un transfert réel d'argent, mais plutôt de l'attribution d'une somme imposable dans la déclaration fiscale du conjoint. Ces mesures ne modifieront pas les règles d'attribution de revenus en vigueur.

Un choix distinct entre le fédéral et le provincial pourra être fait quant à l'attribution d'une somme au conjoint visé par les règles du fractionnement[33].

Les finances personnelles et les impôts sont une affaire de couple!

Il est fortement suggéré pour un couple de faire affaire auprès des mêmes conseillers professionnels afin de profiter de stratégies comme celle-ci.

Régime de retraite, CRI et fractionnement

Au moment où vous prendrez votre retraite, si l'on vous offre le choix entre un transfert de la valeur de votre régime de retraite et une rente de retraite mensuelle, gardez en tête que le transfert d'un régime de retraite à un compte de retraite immobilisé (CRI) ne permettra pas de bénéficier du fractionnement des revenus de retraite avant l'âge de 65 ans.

La rente versée directement au retraité par le régime de retraite serait quant à elle admissible au fractionnement, peu importe l'âge du retraité. Votre âge au moment de faire ce choix et la situation fiscale de votre conjoint auront donc une influence sur votre décision.

La rente de retraite de la RRQ : pas fractionnable, mais « divisible »

La rente de retraite de la RRQ n'est pas admissible aux crédits pour revenus de pension et, conséquemment, ne donne pas droit au fractionnement. Bien qu'elle ne soit pas fractionnable, cette rente peut toutefois faire l'objet d'une division ! Une division de vos rentes de retraite de la RRQ fera en sorte que les rentes des deux conjoints seront additionnées et réellement versées à chacun d'entre vous. Il est à noter que les rentes de retraite ne sont pas nécessairement divisées en parts égales, mais plutôt selon la période de vie commune. La division de la rente est aussi offerte aux conjoints de fait. La Régie peut vous informer du montant exact que vous pourriez recevoir si une demande de division de vos rentes de retraite était faite. Il faut que les deux conjoints soient âgés de 60 ans et plus et que tous deux aient fait la demande de la rente de retraite de la RRQ pour se prévaloir de la division des rentes.

Conserver sa Pension de la Sécurité de la vieillesse grâce au fractionnement des revenus de pension

Le fractionnement des revenus de pension permettra à plusieurs retraités d'éviter la récupération de la PSV. Voilà un des gros avantages de cette mesure. En effet, en effectuant le fractionnement de leurs revenus avant le calcul de la récupération de la PSV (voir le chapitre 3 pour les règles sur la récupération), certains contribuables seront financièrement avantagés.

Prenons l'exemple de Jacques, dont les revenus ont été de 100 000 $ en 2010. Grâce au fractionnement des revenus de pension, ce montant a été réduit à 50 000 $, alors qu'il a attribué à sa conjointe Diane la moitié de la somme admissible à cette mesure fiscale.

FRACTIONNEMENT DES REVENUS DE PENSION

	JACQUES	DIANE
Âge	65 ans	60 ans
Pension de Sécurité de la vieillesse	6 000 $	0,00 $
Prestations de la RRQ	10 000 $	0,00 $
Régime de retraite	100 000 $	0,00 $
Intérêts	5 000 $	10 000 $
Revenus imposables	121 000 $	10 000 $
Impôts estimatifs 2010 (Canada et Québec)	49 915 $	
Fractionnement des revenus de pension de Jacques (aux deux paliers)	50 000 $	
Impôts estimatifs suivant le fractionnement des revenus de pension admissibles de Jacques	40 516 $	
Économie d'impôts grâce au fractionnement des revenus de pension admissibles	9 399 $	

Puisque Jacques reçoit déjà la PSV, la production de ses déclarations fiscales de l'année 2010 aura suffi au renouvellement de cette pension. Ses nouvelles prestations, qui sont payables à compter de juillet 2011, ont été calculées en fonction de son revenu personnel réduit de la somme cédée à sa conjointe au 31 décembre 2010. La PSV « ajustée » à cause du fractionnement de ses revenus avec sa conjointe sera la même jusqu'en juin 2012.

Si toutefois Jacques avait renoncé à sa PSV parce que ses revenus étaient trop élevés et que, de toute façon, la PSV était retournée en entier, il serait alors important pour lui de faire une nouvelle demande en fonction de ses revenus fractionnés. ▪

N'oubliez pas de faire à nouveau la demande de votre PSV si vous y aviez renoncé. Suivant le fractionnement de vos revenus de pension admissibles avec votre conjoint, vous pourriez bien désormais vous qualifier!

Les disparités entre les paliers fédéral et provincial

Considérant que les critères d'admissibilité à certains crédits d'impôt au provincial ne sont pas les mêmes que ceux du fédéral, le fractionnement des revenus de pension pourrait faire profiter le conjoint cessionnaire de certains avantages fiscaux à un seul des paliers gouvernementaux.

Les acomptes provisionnels

Attribuer à votre conjoint des revenus de pension pourrait le soumettre à l'obligation de verser des acomptes provisionnels. Rien de tel que l'expertise d'un professionnel de l'impôt pour vous assurer que vous profitez de toutes les déductions fiscales et crédits d'impôt auxquels vous avez droit.

À cause du fractionnement, Diane pourrait bien devoir verser des acomptes provisionnels. Jacques (le cédant) et Diane (la cessionnaire) auront la possibilité de recalculer les acomptes provisionnels pour les années suivant le fractionnement, calcul basé sur les revenus estimatifs de l'année en cours au lieu des revenus incluant la somme cédée. Il est important de considérer que les acomptes provisionnels calculés selon les revenus estimatifs de l'année en cours sont passibles d'intérêts. Donc, si Jacques et Diane prévoient de fractionner les revenus de Jacques chaque année, il sera préférable pour eux d'acquitter les acomptes provisionnels tel que demandé. ■

Les retenues d'impôt à la source

Le payeur de la pension n'est pas concerné par ces retenues, car le fractionnement des revenus de pension admissibles n'a aucune incidence sur la façon dont le revenu de pension est payé, ni sur la personne à qui il est payé. Le payeur s'y prendra de la même façon que lors des années antérieures pour préparer les feuillets de renseignements et les envoyer au bénéficiaire du revenu de pension.

Recherche conjoint… pour fractionnement!

Si vous vivez actuellement seul et que vous avez des revenus de pension admissibles au fractionnement des revenus de pension, rien ne sert de mettre une petite annonce pour dénicher un conjoint d'ici la fin de l'année dans ce seul but!

Pour que le fractionnement de vos revenus soit possible avec votre conjoint, vous devrez être légalement mariés, unis civilement ou vivre en union de fait depuis au moins une année. Lors d'une nouvelle union, un calcul au prorata du nombre de mois où l'union est reconnue devra être fait.

Le fisc reconnaît depuis 1993 les couples qui vivent en union de fait après une année de vie commune. Si, par exemple, vous vivez en union de fait depuis le 1er juillet 2010, votre union ne sera fiscalement reconnue qu'à compter du 1er juillet 2011. C'est donc en 2011 que vous pourrez fractionner vos revenus de pension admissibles avec votre conjoint, mais pas pour l'année entière. Seuls les revenus gagnés durant les mois où l'union sera reconnue à des fins fiscales pourront faire l'objet du fractionnement.

Contrairement aux règles fédérales, le Québec n'exige pas de calcul au prorata dans l'année de reconnaissance de l'union de fait, du mariage ou de l'union civile. Au provincial, s'il y a un conjoint admissible à la fin de l'année, le fractionnement est offert pour toute l'année.

> Ginette et Raymond vivent en union de fait depuis le 1er octobre 2009. En 2010, Ginette a reçu une rente de retraite de 50 000 $ qu'elle aimerait fractionner avec Raymond. Dans les circonstances, elle pourrait fractionner jusqu'à 50 % de sa rente de retraite admissible de 50 000 $, soit 25 000 $. Toutefois, considérant la reconnaissance de leur nouvelle union pour seulement 3 mois sur 12 (octobre, novembre, décembre), un quart de ces 25 000 $ seulement serait admissible au fractionnement pour l'année 2010 au fédéral. Ainsi, Ginette pourrait céder 6 250 $ à Raymond pour l'année 2010. Au Québec, elle pourra dès 2010 attribuer à Raymond jusqu'à 25 000 $. Dès 2011, elle pourra céder jusqu'à 25 000 $ à Raymond, et ce, aux deux paliers gouvernementaux. ■

Vous devez cependant ne pas avoir vécu séparé de votre conjoint depuis plus de 90 jours à la fin de l'année pour cause de rupture de votre union si vous voulez être reconnus comme étant des conjoints admissibles au fractionnement des revenus de pension.

Si vous devez vivre séparé de votre conjoint pour des raisons médicales ou d'études, par exemple, vous serez reconnus comme des conjoints admissibles au fractionnement des revenus de pension malgré le fait que vous vivez séparément.

Un mariage et le fractionnement des revenus de pension

Si vous et votre conjoint vous êtes mariés le 1er juillet 2010 et que vous n'étiez pas reconnus comme étant des conjoints de fait auparavant, vous pourrez profiter dès 2010 du fractionnement des revenus de pension pour le nombre de mois suivant la célébration de votre union.

Le mariage et l'union civile sont reconnus par le fisc dès la date de la célébration. Une union reconnue en juillet 2010, par exemple, permettrait de fractionner 50 %, soit 6 mois (juillet à décembre) sur 12 des 50 % de revenus de pension admissibles.

Un mariage est reconnu dans la même année tandis qu'une année d'attente est nécessaire à la reconnaissance de l'union de fait lors d'une nouvelle union.

Un mariage non réglé et le fractionnement des revenus de pension

Les gens mariés non séparés légalement ni divorcés mais qui ne vivent plus ensemble ne pourront pas céder un revenu à leur ex, qui aux yeux du fisc pourrait encore dans certains cas être considéré comme étant leur conjoint. Ce sont toutes ces règles particulières qui font en sorte que l'on parle de conjoint « admissible » lorsqu'il est question de fractionnement des revenus de pension.

Le fractionnement des revenus de pension : un incitatif à la déclaration de l'union !

Les nouvelles règles de fractionnement de revenus de pension inciteront fort probablement plusieurs retraités qui ne se déclaraient pas comme couple à le faire. En permettant le fractionnement des revenus de retraite, le fisc pourra sans doute récupérer certaines prestations sociales (par exemple le remboursement de la TPS et de la TVQ) qu'il versait à des conjoints de fait non déclarés !

Le REER du conjoint, toujours intéressant ?

Est-ce qu'avec ces nouvelles mesures il est encore souhaitable de faire votre cotisation au REER de votre conjoint ou devriez-vous systématiquement cotiser à votre REER ?

Cotiser au REER du conjoint est encore une stratégie valable pour ceux qui prévoient de prendre une retraite avant l'âge de 65 ans. Le fractionnement de la rente provenant d'un FERR ne sera possible qu'à compter de l'âge de 65 ans. Dans le cas des REER du conjoint, il est possible de fractionner l'ensemble des sommes cotisées, et non pas seulement 50 % de certaines sommes, comme le permet le fractionnement des revenus de pension.

Le fait de prendre une retraite progressive influencera aussi les stratégies fiscales applicables à votre situation. Lors d'une retraite progressive, en plus des revenus de retraité, généralement des revenus d'emploi sont aussi gagnés. Considérant l'addition de tous ces revenus dans le calcul de l'impôt, avoir des revenus admissibles au fractionnement sera avantageux.

POINTS À NE PAS OUBLIER

- Les impôts sont calculés sur les revenus « individuels » gagnés au cours d'une année.

- Il existe des stratégies fiscales à mettre en place avant la retraite.

- Certaines stratégies fiscales sont réservées aux retraités qui ont des revenus d'un type particulier.

- Faites attention aux règles d'attribution.

- Votre situation personnelle et familiale ainsi que votre type d'union influencent les stratégies fiscales.

- Afin de trouver la stratégie fiscale qui vous convient, une analyse sur mesure prenant en considération votre situation fiscale, financière et matrimoniale doit être faite, de préférence avec l'aide d'un professionnel.

- L'impôt, ça bouge, c'est créatif, et les mesures fiscales s'ajustent généralement aux réalités de la société.

Chapitre 7

À la retraite, le travail !

JULES : Je trouve que j'ai eu une bonne idée de
retourner au travail : je me rends compte à
quel point j'avais besoin d'être en contact
avec les gens. J'ai besoin de voir du monde.

MARCEL : Je ne sais pas si c'est une bonne idée, moi.
Penses-y, Jules, tu reçois ta rente de la RRQ
et tu continues de cotiser. En plus, si tu décla-
res ces revenus, tu vas tout perdre en impôts.

JULES : Je n'ai qu'à bien planifier et tout va
bien aller.

ESTELLE : Moi, je fais du bénévolat et je dois avouer
que ça suffit à me désennuyer. Les journées
peuvent être longues, si on n'a aucune activité.

———————————————————

Au Québec, 46 % des hommes retraités âgés de 55 à 59 ans ont des revenus de travail, ainsi que 37 % des hommes âgés de 60 à 64 ans. En ce qui concerne les femmes retraitées, 24 % d'entre elles ont des revenus de travail entre 55 et 59 ans, et 9 % entre 60 et 64 ans[34].

La retraite n'est plus ce qu'elle était. Travailler 35 ans pour le même employeur n'est plus si courant. « Liberté 55 » a été le leitmotiv de toute une génération de travailleurs, mais la réalité économique a récemment rattrapé ces éternels optimistes. Mis à part ceux qui bénéficient ou bénéficieront d'un généreux régime de retraite après 35 ans de loyaux services, ou les économes qui auront accumulé toute leur vie, les gens doivent réévaluer leurs objectifs de retraite, voire souvent en prendre conscience pour la première fois.

Ajoutons à cela que l'espérance de vie augmente constamment. Il est difficile de croire que l'on peut travailler pendant 35 ans et accumuler suffisamment d'épargne pour financer les 35 années suivantes. À titre d'exemple, une femme de 55 ans a une espérance de vie de 31,4 années de plus, c'est-à-dire que la probabilité qu'elle vive au-delà de l'âge de 86,4 ans est d'environ 50 %. Pour un homme de 55 ans, l'espérance de vie est de 27 ans.

Une retraite progressive, une retraite au-delà de 65 ans et le retour au travail de plusieurs retraités seront sans doute les nouvelles tendances en matière de retraite. D'ailleurs, un récent sondage réalisé par Ipsos Reid pour le compte de la Banque de Montréal révèle que 28 % des retraités actuels continuent de travailler, et que 74 % des travailleurs de 45 ans et plus prévoient de travailler à la retraite.

■ LA RETRAITE CHANGE

À l'approche de la retraite, il se peut que vous arriviez au constat que la pleine retraite n'est pas envisageable compte tenu des sommes accumulées, que ce soit parce que la crise financière vous a touché ou parce que vous n'avez tout simplement pas pu économiser suffisamment. Pourquoi alors ne pas concevoir la possibilité d'une retraite progressive, auprès de votre employeur actuel ou d'un nouvel emploi ? La retraite n'est pas nécessairement synonyme d'arrêt complet. En prenant une retraite progressive, vous réduiriez votre temps de travail et par le fait même votre stress, tout en continuant d'avoir des revenus. Ainsi, vous repousseriez le moment de décaisser vos épargnes, qui s'épuiseraient donc moins vite.

■ LE RETOUR AU TRAVAIL... POURQUOI ?

Nombreuses sont les raisons, pour une personne en âge de prendre sa retraite, de considérer de retourner sur le marché du travail ou de ne quitter les rangs de la vie active que de façon progressive. D'ailleurs, dans le contexte économique actuel, les employeurs devraient se réjouir de compter parmi leurs employés des gens d'expérience. La retraite progressive leur laisse le temps de transférer leurs connaissances aux employés plus jeunes, assurant ainsi une relève des postes clés en entreprise. Sous l'angle du capital humain, la retraite progressive est le nirvana pour les employeurs !

Finalement, la situation démographique du Québec modifie aussi le monde du travail. Le manque de main-d'œuvre anticipé pour les prochaines années aura pour effet d'encourager les entreprises à redoubler d'ingéniosité afin de retenir leurs employés. La retraite progressive fera très certainement partie de ces stratégies. En effet, 45 % de la force de travail (population active) au Canada s'apprête à partir à la retraite, comparativement à 29 % en 1991.

Un travailleur sur cinq[35] (22 %) retourne sur le marché du travail après avoir pris sa retraite. La période cruciale est généralement de deux ans après la prise de la retraite. Cela s'explique par le fait que dans cette période vous avez fait beaucoup de choses que vous aviez négligé de faire par manque de temps quand vous étiez travailleur. Cela correspond à la phase de l'euphorie vue au chapitre 4. Cependant, lorsque la source de cette euphorie se tarit, que faire ? Plusieurs décident de retourner sur le marché du travail, et les principales raisons alors invoquées ne sont pas reliées aux aspects financiers. Certaines personnes voudront combler un vide creusé par le nombre d'heures disponibles, se désennuyer, retrouver une routine, éviter de passer trop de temps avec leur conjoint, se valoriser socialement, se sentir utiles, etc. D'autres apprécient simplement leur travail et en tirent une grande satisfaction.

Avant de retomber dans le travail, il est impératif de dresser un bilan professionnel qui fasse le point sur ce que vous avez aimé et ce que vous n'avez pas aimé de vos emplois passés. En faisant cet exercice, vous saurez quels compromis vous serez prêt à faire lorsqu'on vous offrira des conditions de travail différentes. Vous serez probablement prêt à accepter une diminution de revenus afin de mettre de l'avant des compétences non encore exploitées. L'employé de bureau qui a toute sa vie refréné son côté artiste voudra probablement à la retraite exploiter son potentiel créatif. Rien ne vous empêche de vous retirer d'un travail pour en commencer un autre complètement différent.

Jules, 62 ans, a pris conscience après une année et demie de retraite qu'il aimait établir des liens sociaux sans implications personnelles. Il a donc accepté un emploi dans un grand magasin qui consiste à saluer les clients et à leur souhaiter la bienvenue. Comme Jules possédait une multitude de compétences, il s'est fait offrir un poste de gestion au sein d'un des départements. Mais après réflexion, il s'est rendu compte qu'il n'était pas prêt à revivre le stress déjà vécu des responsabilités professionnelles, et ce, malgré les avantages financiers et sociaux. ∎

Il est important de vous sentir valorisé par ce que vous entreprenez. Si le travail ne vous convient plus et que vous n'avez pas de problèmes financiers, pourquoi ne pas privilégier des activités de mentorat ou de bénévolat ? Il est important de bien cibler les passions que vous avez en dehors du travail. Pour le retraité, un retour sur le marché de l'emploi représente sans aucun doute un excellent stimulant et beaucoup de reconnaissance sociale. Un travail non rémunéré a les mêmes avantages. Examinez les besoins qui existent dans la communauté ou dans un pays étranger pour des compétences comme celles que vous détenez. Peut-être préférerez-vous, après réflexion, apporter votre soutien aux membres de votre famille ou de votre entourage.

Cependant, il est important, voire crucial, de ne pas devenir l'esclave des gens qui demandent votre aide et qui peuvent avoir des exigences sans fin sous prétexte que vous n'avez que ça à faire. Il est possible de donner du temps sans s'oublier. Il faut donc dès maintenant que vous appreniez à dire non quand il le faut.

∎ POURQUOI CERTAINES PERSONNES ONT BESOIN DE TRAVAILLER

Avant tout, il faut comprendre que le travail n'a pas que des avantages financiers. En fait, le travail fournit trois éléments essentiels dans la vie d'un individu : soit la structure, l'intégration et le développement. La structure, c'est le quotidien, les habitudes. L'intégration est le côté social, le fait de partager et de nouer des liens avec autrui. Le développement est celui des compétences, et il apporte un sentiment d'accomplissement, de réalisation de soi.

Chaque individu a besoin de réunir ces trois éléments pour s'épanouir. La décision de se retirer du marché du travail constitue un changement radical dans la vie d'un individu, et ce, malgré une préparation sans failles de sa retraite. C'est pour cette raison que certains auront de la difficulté à arrêter de travailler, ou auront besoin de recommencer rapidement. Par besoin d'argent parfois ; parfois aussi parce qu'ils se sont identifiés à leur travail jusqu'à négliger leur famille ou leurs intérêts. La vie sans travail n'a pour eux aucun intérêt parce qu'ils n'ont pas exploré autre chose.

Yvon, un entrepreneur prospère, a construit son entreprise lui-même et a l'habitude de s'adonner à toutes sortes d'activités. Il a déjà sélectionné sa relève, mais il sent que cette relève le pousse trop rapidement vers la sortie. Yvon ne veut même pas entendre le mot « retraite ». Pour lui, ce mot n'a aucune signification. Yvon a encore beaucoup de projets et d'objectifs pour son entreprise, mais il n'est plus prêt à prendre de gros risques parce qu'il veut assurer ses vieux jours. Il doit comprendre qu'il n'a pas besoin de tout quitter. Il peut réduire son investissement dans l'entreprise en travaillant seulement quelques jours par semaine et ainsi passer le flambeau adéquatement, en définissant les rôles de chacun et en gardant pour lui un rôle de *coach*. Il doit lâcher prise et accepter de partager la direction de l'entreprise. Il doit aussi identifier d'autres champs d'intérêt pour meubler ses journées une fois qu'il aura lâché du lest. ■

Dans d'autres circonstances, les employés sont dirigés vers la retraite parce qu'on considère, à tort, que
compte tenu de leur âge ils sont moins efficaces, moins
habitués à la technologie, moins productifs, qu'ils n'attendent que l'heure de partir. Il peut également arriver,
malheureusement, qu'on leur montre la porte de sortie
parce qu'ils sont payés plus cher, ayant plus d'ancienneté et d'expérience, ce qui est néfaste d'un point de
vue organisationnel, car l'expérience est une richesse,
et non un coût. Il est vrai que certains employés n'ont
pas suivi l'évolution technologique et ne s'y intéressent
pas. Ils ne veulent plus apprendre. Il peut arriver aussi
qu'on les isole parce qu'ils ne partagent pas les valeurs
de la nouvelle direction. Ils sont reconnus comme des
emmerdeurs, ils posent trop de questions. Ces personnes, dans la plupart des cas, n'ont plus peur de perdre
leur emploi et montrent qu'ils sont conscients de leur
valeur. Cependant, elles peuvent être perçues comme
dérangeantes. Ces quelques constats témoignent d'un
phénomène nommé « âgisme », qui désigne la discrimination selon l'âge, phénomène de plus en plus courant.

Margo est en congé de maladie pour harcèlement professionnel. Elle est en théorie à deux ans de sa retraite,
mais compte tenu des événements récents elle envisage
sérieusement de se retirer dès maintenant du marché
du travail. Financièrement, arrêter de travailler n'est pas
un problème pour elle. Elle ne ressent pas la fierté du
travail accompli. Elle aurait aimé terminer sa carrière
en beauté après 25 ans de loyaux services, mais elle
sent que ce ne sera pas possible. Elle envisage donc de
retourner au travail pour une période de six mois, selon
une entente avec son patron, afin de quitter son emploi
sur une note plus joyeuse.

Margo devra se questionner sur les véritables raisons
de son désir de retourner au travail et sur les compromis

qu'elle est prête à faire. On peut penser que l'estime de Margo a été touchée et, si elle retourne à son ancien travail, elle devra établir ses limites pour ne pas retomber dans la même situation fâcheuse. Elle pourrait très bien retrouver son estime d'elle-même dans le cadre d'un autre emploi qui favoriserait son épanouissement professionnel et personnel. Se concentrer sur le développement de son potentiel et sur son bien-être est plus important que de s'obstiner dans la poursuite de ses anciens objectifs. ▪

▪ LE RETOUR AU TRAVAIL ET LA VIE DE COUPLE

Que se passera-t-il si l'un de vous désire retourner travailler et l'autre non ? Comment concilier les rêves des deux ? Encore une fois, la communication est au cœur de la solution. Ici, il serait approprié de voir ensemble les véritables raisons qui motivent le choix du retour au travail. Est-ce la fuite d'une vie de couple malheureuse ? Est-ce parce qu'un des conjoints donne tellement de tâches à l'autre que le travail apparaît à celui-ci comme plus paisible ? Est-ce que travailler donne à l'un une plus-value aux yeux de l'autre ? Votre routine de couple tarde-t-elle à s'établir ? Avez-vous peur de vous ennuyer ?

> Estelle a l'impression de tourner en rond dans la maison pendant que son Georges va jouer au golf, une passion qu'elle ne partage pas. En discutant avec des copines, elle découvre un centre de bénévolat dans lequel elle aimerait s'investir. Après une discussion avec Georges, tous les deux conviennent que ce dernier ira au golf trois jours par semaine, ce qui permettra à Estelle de s'adonner à ses activités de bénévolat ; ils se ménagent toutefois des moments ensemble. ▪

Bien évidemment, le choix du retour au travail doit être fait après un examen précis de la situation et dans un esprit de compromis. Par exemple, au lieu d'un travail à temps plein, pourquoi ne pas penser à occuper un poste à temps partiel ou encore saisonnier ?

■ LES IMPACTS FINANCIERS DU RETOUR AU TRAVAIL OU DE LA RETRAITE PROGRESSIVE

De 1,1 million en 2004, le nombre de bénéficiaires de la rente de retraite doublera d'ici 2025 en raison du vieillissement de la population et d'une croissance rapide du nombre de femmes admissibles à une rente de retraite, croissance attribuable à leur présence accrue sur le marché du travail. Les prestations totales (qui incluent également les prestations de survivants et d'invalidité) passeront de 7,5 milliards de dollars en 2004 à 13,3 milliards en 2025 et à 20,1 milliards en 2055 (estimations faites en dollars constants de 2004[36]).

Le vieillissement de la population réduira considérablement le nombre de travailleurs (population active). Ainsi, le Québec pourrait ne compter en 2030 que deux personnes en âge de travailler pour une personne de 65 ans et plus, alors que la proportion est actuellement de cinq personnes en âge de travailler pour une personne de 65 ans et plus. On anticipe ainsi des pénuries de main-d'œuvre à court terme dans plusieurs secteurs d'activité et dans certaines professions, et plus précisément une perte de main-d'œuvre qualifiée et expérimentée. Au Québec comme dans les principaux pays industrialisés, de grandes organisations commencent déjà à adopter des modes de gestion favorisant le maintien en emploi du personnel plus âgé, ainsi que la passation du savoir-faire[37].

Les gouvernements ont commencé à se pencher sur le problème démographique, et plusieurs mesures ont déjà été mises en place pour favoriser la retraite progressive.

Bien qu'il soit souhaitable, dans certains secteurs d'activités, de favoriser le prolongement de la vie active des travailleurs en leur offrant une retraite progressive, cette retraite «nouveau genre» n'est pas sans conséquences financières et fiscales pour les retraités.

Voici quelques conséquences d'un retour au travail ou d'une retraite progressive.

Le Régime de rentes du Québec et le retour au travail

Le Régime de rentes du Québec a récemment été modifié afin de bonifier la rente des retraités qui décident de retourner sur le marché du travail. Quelqu'un qui reçoit déjà la rente de retraite du RRQ et qui décide de retourner sur le marché du travail, que ce soit à temps plein ou à temps partiel, doit recommencer à cotiser au Régime, peu importe son âge. Avant 2009, la rente pouvait être majorée, mais les règles en vigueur faisaient en sorte qu'elle l'était rarement dans les faits. De plus, si le retraité recevait déjà la rente maximale payable par la RRQ, celle-ci ne pouvait pas être augmentée malgré les nouvelles cotisations. Depuis le 1er janvier 2009, la rente de retraite est augmentée pour chaque dollar de cotisation versé pour les retraités qui reçoivent la rente de retraite. Concrètement, la cotisation au RRQ est prélevée sur tout revenu d'emploi ou d'entreprise entre 3 500 $ (exemption de base) et le maximum des gains admissibles (MGA), qui s'élevait à 47 200 $ en 2010. La bonification annuelle se calcule ainsi :

Revenu annuel sur lequel une cotisation est retenue × 0,5 %

Cette bonification s'ajoutera à la rente l'année suivante et sera permanente. Voyons un exemple.

Marcel a pris sa retraite à l'âge de 60 ans. Il a demandé le paiement de sa rente de retraite du RRQ et reçoit actuellement une somme de 7 000 $ par année. Il accepte d'aller travailler chez le quincaillier du coin pour un revenu annuel de 20 000 $ en 2010. À compter de 2011, sa rente de retraite du RRQ sera augmentée de 82,50 $ par année, soit:

$$(20\,000\,\$ - 3\,500\,\$) \times 0,5\,\% = 82,50\,\$$$

À compter de 2011, Marcel recevra donc sa rente de 7 000 $ plus l'indexation accordée au 1er janvier 2010, plus la bonification de 82,50 $. En supposant une indexation de 2 %, Marcel recevra 7 222,50 $. Et s'il travaille encore en 2011, il aura droit à une autre bonification à compter de 2012 en plus de l'indexation. ◾

Le RRQ et la retraite progressive

Qu'arrivera-t-il à votre rente de retraite promise par le RRQ si vous réduisez votre temps de travail dans le cadre d'une retraite progressive? Si le nombre d'heures travaillées diminue, il y a fort à parier que votre rémunération diminuera d'autant. Par contre, un travailleur de 60 ans ou plus qui convient d'une retraite progressive avec son employeur en réduisant son temps de travail de 20 % peut demander le paiement de sa pleine rente de retraite du RRQ!

Évidemment, un employé de 55 ans qui voudrait bénéficier d'une retraite progressive à la suite d'une entente avec son employeur ne pourrait pas demander sa rente du RRQ, parce que celle-ci n'est pas payable avant l'âge de 60 ans. De plus, en réduisant son temps de travail, il recevra un salaire moins élevé et, conséquemment, il cotisera moins au RRQ. Si son salaire est réduit en deçà du MGA (47 200 $ en 2010), la baisse de ses cotisations au régime aura pour effet de réduire la rente de retraite qui lui était auparavant promise (selon son ancien salaire).

Pour ne pas subir de réduction de sa rente à cause de sa retraite progressive, ce travailleur pourrait convenir d'une entente avec son employeur. Bien qu'il reçoive désormais un salaire moindre qu'auparavant, il pourrait continuer de cotiser au RRQ selon son ancien salaire (jusqu'à concurrence du MGA). De cette façon, sa rente de retraite ne serait pas réduite. Dans un tel cas, l'employeur devrait aussi cotiser selon l'ancien salaire de l'employé. C'est donc dire que l'employeur doit s'engager à verser au RRQ des cotisations supérieures à celles requises par le salaire réduit de 20 %. Cette décision revient donc à l'employeur autant qu'à l'employé.

Si vous prenez une retraite progressive, ne négligez pas de vérifier l'impact que cela aura sur votre rente de retraite et de négocier avec votre employeur, si cela s'avère pertinent, vos cotisations au RRQ !

Un travailleur autonome ne peut bénéficier des règles de retraite progressive du RRQ, puisqu'il n'est pas un salarié. S'il désire continuer à travailler et demander sa rente du RRQ à compter de 60 ans, il devra déclarer à la RRQ que ses revenus de travail estimés durant les 12 premiers mois du paiement de sa rente ne dépassent pas 25 % du MGA, soit 11 800 $ en 2010. Par contre, une fois son admissibilité à la RRQ établie et une fois qu'il reçoit sa rente, il pourra gagner les revenus qu'il désire et conserver sa pleine rente.

Dans tous les cas décrits plus haut, si vous recevez votre rente de retraite et que vous recevez aussi des revenus d'emploi, vous cotiserez sur la base de ces revenus et vous aurez droit à la bonification de 0,5 % discutée à la section « Le Régime de rentes du Québec et le retour au travail ».

Il est plutôt tentant de faire la demande de sa rente de retraite auprès de la RRQ dès que l'on se qualifie. Pourtant, le moment idéal pour faire la demande de sa rente de retraite dépend de plusieurs facteurs et demeure en tout temps un choix personnel. Nous avons donné un exemple au chapitre 3 et en avions conclu que, si vous prenez votre retraite avant 55 ans, il est presque toujours préférable de demander votre rente dès que vous y êtes admissible, soit à compter de 60 ans. Dans le cas d'une retraite progressive, la conclusion pourrait être différente.

Sachant que la rente est calculée selon la moyenne de vos salaires sur toute votre carrière, pour recevoir la rente maximale à compter de 60 ans, vous devez avoir cotisé au maximum durant une période de 36 ans. Donc, dans le contexte où vous bénéficiez d'une retraite progressive à compter de 55 ans et que vous avez déjà cotisé au maximum depuis l'âge de 18 ans, nul besoin de négocier avec votre employeur pour qu'il cotise sur la base de votre plein salaire : vous n'obtiendrez jamais une plus grosse rente. *A contrario*, si vous avez commencé à cotiser au RRQ à l'âge de 25 ans ou que vous avez plusieurs années de travail à des revenus très bas, il serait opportun de cotiser le plus possible.

Vous constaterez que chaque cas est unique et qu'il n'y a pas de réponse toute faite.

> **La RRQ vous offre la possibilité de faire une simulation des effets de la cotisation sur le plein salaire. Ne vous en passez pas !**

Votre régime de retraite et la retraite progressive

Depuis 2009, il est dorénavant permis, pour les employeurs qui offrent un régime de retraite, de prévoir des règles de retraite progressive pour leurs employés. Certaines modalités existaient avant 2009, mais les nouvelles règles permettent surtout de continuer à accumuler des crédits tout en recevant des bénéfices. Les règles sont évidemment différentes d'une entreprise à l'autre et sont laissées à la discrétion des employeurs.

Dans le cadre d'un régime à cotisations déterminées, l'employé pourrait, dès l'âge de 55 ans, retirer des sommes annuellement de son solde accumulé dans son régime de retraite. Évidemment, le solde s'en verrait réduit. Dans le cadre d'un régime à prestations déterminées, l'employeur peut offrir à ses employés de commencer à retirer jusqu'à 60 % de leur rente de retraite dès 60 ans ou même 55 ans, tout en respectant certaines conditions, c'est-à-dire en continuant à travailler à temps plein ou à temps partiel, et surtout en continuant à cotiser à leur régime de retraite et à accumuler des droits de rente.

Dans certains cas, il sera drôlement intéressant pour les employés de se prévaloir de cet avantage, mais l'employeur devra y consentir. L'avenir nous dira si les employeurs offriront cet avantage à leurs employés.

Les cotisations au REER et le retour au travail

En retournant sur le marché du travail, un retraité accumulera de nouveaux droits de cotiser à son REER, malgré son âge.

Bien qu'il ne soit plus possible de cotiser à un REER au-delà de l'âge de 71 ans, un retraité de plus de 71 ans qui aurait des droits de cotiser à son REER pourrait continuer à faire des cotisations au REER de son conjoint (si celui-ci est âgé de moins de 71 ans), et ainsi à profiter de la déduction fiscale du REER.

Généralement, à la retraite ou lors d'une retraite progressive, si des cotisations sont faites à un REER, c'est principalement pour la déduction fiscale, et non plus dans le but d'accumuler des fonds à l'abri de l'impôt pour la retraite. Dans ce cas, des cotisations dans des REER de fonds des travailleurs[38] seraient intéressantes mais, malheureusement, les restrictions d'âge ne permettent pas à tout le monde de profiter des crédits d'impôt supplémentaires ! Les retraités qui retourneront sur le marché du travail ou qui prendront une retraite progressive et voudront bénéficier des crédits d'impôt supplémentaires (de 30 %) alloués aux cotisations REER faites dans les fonds de travailleurs devront donc s'assurer d'y être admissibles. Un revenu d'emploi de 3 500 $ minimum est nécessaire pour avoir droit au crédit d'impôt. De plus, au Québec, vous n'aurez plus droit au crédit après 65 ans. Un retrait de vos fonds éliminera vos droits à des crédits futurs. En somme, un retour au travail pourrait vous permettre de cotiser dans des fonds de travailleurs, mais plusieurs conditions sont à analyser pour vérifier si cela est avantageux.

La Pension de la Sécurité de la vieillesse et le retour au travail

Si vous avez plus de 65 ans et que vous effectuez un retour au travail, vous pourriez devoir rembourser une partie de votre Pension de la Sécurité de la vieillesse (PSV). Comme nous l'avons vu au chapitre 3, dès que l'ensemble de vos revenus de l'année (incluant votre nouveau salaire) excéderont 66 733 $ (seuil en vigueur en 2010), vous devrez retourner 15 % de l'excédent. La PSV sera récupérée au complet si l'ensemble de vos revenus de l'année atteint 108 214 $ (le seuil en 2010).

. Selon vos sources de revenu de retraite (REER, FERR, FRV ou régime d'employeur) et la situation de votre conjoint, les nouvelles règles de fractionnement de revenus de retraite pourraient vous permettre de travailler sans devoir rembourser votre PSV !

Les impôts et le retour au travail

Si vous êtes retraité et que vous retournez sur le marché du travail, vos revenus augmenteront, et votre facture fiscale en même temps !

Il ne faut pas négliger de considérer le fait que plusieurs crédits d'impôt s'estompent proportionnellement à une augmentation des revenus. À titre d'exemple, le crédit d'impôt fédéral en raison de l'âge (65 ans et plus) diminue si votre revenu net augmente, et ce, bien que vous ayez l'âge nécessaire pour vous qualifier.

Outre l'impôt supplémentaire, si votre revenu familial net dépasse 30 000 $, le retour au travail (d'un des conjoints) pourrait vous faire perdre votre admissibilité à certains programmes sociaux fiscaux, dont le remboursement de la TPS et de la TVQ.

Le retour sur le marché du travail peut devenir un vrai casse-tête fiscal si vous n'êtes pas prévoyant.

Sylvain a pris sa retraite l'an dernier. Il ne prévoyait pas de retourner sur le marché du travail, mais il n'a pas su refuser l'offre de son cousin. D'autant plus que la crise économique a réduit ses économies. Il avoue aussi que retourner travailler à temps partiel lui permet de tromper l'ennui. Sylvain reçoit actuellement la rente de la RRQ et une autre de son régime de retraite collectif. Au cours des derniers mois, Sylvain utilisait les sommes accumulées dans son compte de banque pour financer ses besoins additionnels. Il pensait commencer à décaisser son REER l'an prochain. C'est pourquoi l'offre arrivait à point. Ses revenus imposables s'élevaient à environ 35 000 $ par année. Il avait déjà demandé à la RRQ de prélever de l'impôt sur sa rente, son ex-employeur prélevait aussi de l'impôt sur sa rente de retraite. Son nouvel emploi lui rapportera 20 000 $ de plus par année.

Eh bien, si Sylvain ne met pas d'argent de côté pour payer ses impôts, il risque de devoir une bonne somme lors de la préparation de ses déclarations fiscales, en avril prochain. Son cousin lui prélèvera de l'impôt comme si son revenu était de 20 000 $ uniquement, soit environ 2 500 $. Mais c'est sans compter que ce revenu de 20 000 $ s'ajoute aux 35 000 $ déjà gagnés; la somme sera donc imposable à son taux marginal d'imposition de l'ordre de 38 %, ce qui représente 7 600 $, donc 4 100 $ de plus que ce que Sylvain aura payé au cours de l'année! Il aurait donc tout avantage à mettre cette somme de côté. ■

Si vous avez plusieurs sources de revenu à la retraite, planifiez bien vos impôts réels, nonobstant les impôts retenus à la source!

Des charges sociales... inutiles!

Il ne faut pas non plus négliger de considérer les différentes cotisations aux régimes gouvernementaux lors d'un retour au travail.

Le nouveau salaire d'un retraité sera amputé des cotisations au Régime québécois d'assurance parentale (RQAP) suivant son retour au travail. Peu importe votre âge et vos chances de profiter d'un congé de maternité ou de paternité, vous devrez contribuer au régime dès que vous aurez un revenu d'emploi ou un revenu d'entreprise supérieur à 2 000 $! Les retraités qui décideront de retourner sur le marché du travail et ceux qui prendront une retraite progressive contribueront ainsi au renouvellement de la population...

Le taux de cotisation à ce régime pour un employé salarié est de 0,506 % en 2010, jusqu'à concurrence d'un salaire de 62 500 $. À titre d'exemple, un salaire de 20 000 $ entraînerait une cotisation au RQAP de 101,20 $ par année pour un salarié retraité. Un retraité qui serait travailleur autonome devrait quant à lui verser 0,899 % de son revenu, ou 179,80 $ dans ce cas.

De plus, vous devez contribuer au Régime de rentes du Québec selon le même barème qu'un salarié ou un travailleur autonome qui n'est pas retraité, et ce, même si vous recevez votre rente de retraite de la RRQ (voir chapitre 3 pour les détails sur la cotisation).

■ D'AUTRES EFFETS POSSIBLES

Avant de faire des choix, il vous faudra évaluer vos intérêts et leurs impacts sur vos revenus. Cela vous évitera les mauvaises surprises.

Vous avez travaillé toute votre vie, et cela vous a permis de vous réaliser. Maintenant que vous songez à profiter davantage de la vie, vous pouvez vous accomplir personnellement dans d'autres activités. La retraite ne doit pas être un casse-tête. Afin d'explorer de nouvelles avenues, laisser de côté vos anciennes habitudes est une bonne stratégie. Bien sûr, l'insécurité quant à votre avenir peut engendrer des résistances au changement, mais vous pouvez cheminer progressivement vers cette autre étape. Si vous vous préparez dès maintenant, tout ira pour le mieux. Commencez à prendre conscience des passions qui vous font vibrer et auxquelles vous pourrez enfin vous adonner, qu'elles soient récréatives ou professionnelles : il n'y a pas de limites aux nouvelles avenues, à part celles que vous vous imposez en voulant garder le contrôle ou en vous freinant à cause de vos peurs.

POINTS À NE PAS OUBLIER

■ Travailler à la retraite est envisageable, que ce soit pour combler des besoins financiers ou par souci d'épanouissement personnel.

■ Il ne faut pas oublier de prévoir la fiscalité liée à un retour au travail.

■ Prendre sa retraite autant que retourner au travail nécessite de la réflexion.

■ Le compromis est essentiel dans le cadre d'un retour au travail pour l'un des conjoints.

■ Il est important de se recentrer sur ses propres intérêts pour faire des choix éclairés.

■ Si vous retournez sur le marché du travail, mettez de l'avant vos succès et vos bonnes initiatives plutôt que de mettre l'accent uniquement sur vos compétences.

Chapitre 8

Sous ou surassuré ?

MARC : À cause de la crise économique, je viens d'être mis à pied. Du coup, je perds mon assurance vie collective.

SYLVIE : Ne t'inquiète pas : tu as le droit de transformer ton assurance vie collective en assurance individuelle dans les 31 jours de ton départ du groupe, même si tu es atteint d'une grave maladie. Transforme ton contrat d'assurance vie pour conserver tes droits d'abord. Ensuite, tu pourras vérifier si d'autres compagnies peuvent t'assurer à meilleur prix, comme tu es en bonne santé.

SYLVAIN : Tu as sans doute raison. Je me souviens que, quand mon contrat d'assurance vie temporaire est venu à échéance, mon conseiller en sécurité financière a magasiné pour moi un nouveau contrat moins cher que le prix de renouvellement indiqué dans mon ancien contrat. Il m'a dit que le prix de renouvellement représentait ce que j'aurais eu à payer dans le pire des scénarios, soit celui où je ne serais plus assurable.

L'assurance est un produit fabuleux. Elle procure des liquidités au moment où vous et vos proches en avez le plus besoin. Cependant, il est facile de souscrire des assurances de façon exagérée ou insuffisante.

Le monde de l'assurance est complexe. Si par exemple vous avez souscrit une assurance vie comportant une valeur de rachat dans le but d'épargner pour votre retraite, vous avez fait une erreur! Vous pouvez aussi faire des erreurs en choisissant mal vos produits d'assurance invalidité ou d'assurance habitation.

Vos besoins en matière d'assurance évoluent avec votre âge et les changements qui surviennent dans votre situation personnelle, familiale et financière. Les raisons qui vous ont fait souscrire un contrat d'assurance vie il y a plusieurs années n'existent peut-être plus aujourd'hui (l'hypothèque a été remboursée, vos enfants ne sont plus à votre charge, etc.). Il est donc important de réévaluer vos besoins de façon régulière, au moins tous les trois ans. À l'approche de la retraite, cette réévaluation est particulièrement importante, car certaines assurances ne sont peut-être plus nécessaires alors que d'autres deviennent plus importantes.

Avant de calculer vos besoins d'assurance (vie, invalidité, habitation, soins de longue durée), prenez connaissance de ces quelques principes de bases.

■ À QUOI SERT L'ASSURANCE ?

Plusieurs personnes commettent des erreurs importantes parce qu'ils oublient ce qu'est réellement une assurance.

Le but de l'assurance est de transférer les conséquences financières négatives d'un risque à un assureur. Elle ne doit pas être utilisée pour spéculer sur la
possibilité de s'enrichir si une personne décède ou si
un bien est détruit. Que ce soit de l'assurance vie, de
l'assurance invalidité ou de l'assurance habitation, les
principes de base sont les mêmes.

**Si vous pouvez assumer les conséquences
financières d'un risque, ne souscrivez pas
d'assurance, vous n'en avez pas besoin. Sinon,
vous perdrez de l'argent par le paiement des
primes. *A contrario*, si vous ne pouvez pas
assumer les conséquences financières d'un
risque, vous avez besoin d'assurance.**

L'assurance est un produit de protection

Un produit d'assurance n'est pas un produit de placement. Le but de l'assurance n'est pas de vous enrichir,
mais de vous protéger contre un risque. Vous devriez être
content si votre assureur ne vous a pas versé de prestations. Cela veut dire que votre maison n'a pas été incen-
diée, que vous n'avez pas eu d'accident, que vous n'êtes
pas devenu invalide et que vous êtes encore en vie.

Les bonnes raisons de souscrire de l'assurance

Il n'est pas recommandé de souscrire de l'assurance en fonction de la probabilité que le risque se matérialise. Achetez de l'assurance seulement si vous ou votre famille êtes incapable d'assumer les conséquences financières d'un risque.

> Paul a 80 ans et est veuf. La probabilité qu'il décède avant dix ans est d'environ 66 %, selon les tables de mortalité. Comme ses enfants sont financièrement autonomes, son décès n'engendrerait pas une diminution de leur niveau de vie. Paul n'a donc pas besoin d'assurance vie.
>
> La probabilité que la résidence de Paul subisse un incendie est faible. Mais si sa maison est endommagée ou détruite par un incendie, il ne pourra pas la faire reconstruire par ses propres moyens. Il a besoin d'une bonne protection d'assurance habitation.
>
> Marie, sa fille, est âgée de 30 ans. La probabilité qu'elle décède avant dix ans est de moins de 1 %. Marie est mère célibataire. Elle est donc le seul soutien financier pour ses deux enfants, âgés de 2 et 4 ans. Marie a besoin de souscrire une assurance vie pour protéger les siens. Marie a aussi besoin d'une assurance habitation et d'une assurance invalidité. ■

Les protections restreintes ou étendues

Lorsque vous devez souscrire une assurance, choisissez celle qui vous offre les protections (risques assurés) les plus étendues. Faites attention de ne pas acheter des assurances couvrant des risques particuliers (protection restreinte). L'assurance décès accidentel en est un exemple. La cause du décès n'est pas importante ; ce qui l'est, ce sont les conséquences financières que subiront vos proches suivant votre décès. Un décès naturel aura les mêmes conséquences financières qu'un décès accidentel.

Il en va de même pour les assurances automobile offrant des protections restreintes. Il serait plutôt illogique de souscrire une assurance automobile offrant des protections en cas d'accident, mais pas en cas de vol. La perte du véhicule engendre les mêmes conséquences, qu'il soit détruit ou volé.

Les assurances offrant des protections limitées (ou restreintes) sont généralement moins dispendieuses. Votre désir d'économiser quelques dollars de primes pourrait faire en sorte que vous ou vos proches ne soyez pas adéquatement protégés.

> **Si vous contractez de l'assurance, optez pour celle qui offre la protection la plus complète et étendue possible.**

Soyez franc et honnête

Lorsque vous souscrivez une assurance, ne cachez rien à l'assureur, sinon celui-ci pourrait refuser votre réclamation[39].

En assurance de personnes, pendant les deux premières années du contrat, l'assureur peut, si vous avez fait une fausse déclaration ou caché un fait important (réticence portant sur le risque), annuler le contrat et refuser de verser la prestation à laquelle vous pensiez avoir droit. Après la période de deux ans, l'assureur peut annuler le contrat seulement si vous avez fait une fraude lors de la souscription.

En assurance de dommages, l'assureur pourrait payer seulement une partie de l'indemnité. Généralement, il versera une indemnité équivalente à la prime perçue comparée à celle qu'il aurait dû percevoir s'il avait facturé pour le véritable risque. En d'autres termes, si vous avez payé la moitié de la prime normale, vous recevrez la moitié des indemnités réclamées.

Sarah n'a pas déclaré à son assureur que son fils Marc, âgé de 18 ans, utilise sa voiture ; ainsi, elle évite de payer une prime supplémentaire. Si elle avait informé son assureur de ce fait, il aurait exigé une prime de 600 $ au lieu de 400 $. Et voilà que Marc a perdu le contrôle de la voiture et a percuté un arbre. Les dommages subis par la voiture totalisent 10 000 $. Comme la prime versée correspond aux deux tiers (400 $/600 $) de la véritable prime, l'assureur pourrait verser à Sarah 6 667 $ seulement, moins la franchise. ▪

Armés de ces quelques principes de base, nous pouvons maintenant analyser plus en détail les différents produits d'assurance.

▪ LES BESOINS D'ASSURANCE VIE

Si votre décès n'occasionnera pas de problèmes financiers à votre conjoint ou à vos enfants, vous n'avez pas besoin de souscrire une assurance sur votre vie.

Si vous êtes célibataire et que vous n'avez pas de personne à charge, vous n'en avez pas besoin non plus. Il n'est pas nécessaire de payer vos dettes à votre décès. Personne n'est obligé d'accepter une succession, particulièrement lorsqu'elle est déficitaire. Si vous êtes dans une telle situation, assurer vos dettes revient à favoriser vos créanciers plutôt que vos héritiers.

La principale conséquence financière d'un décès est la perte du revenu de travail du défunt. Si vous avez des personnes à charge (des enfants mineurs, des enfants aux études, un enfant handicapé ou un partenaire de vie qui dépend de vous financièrement), il est très important de vous assurer que ces personnes conserveront leur niveau de vie si vous décédez prématurément (avant la retraite). À votre retraite, vous ne devriez plus avoir de revenu de travail. Conséquemment, le besoin d'assurance sur votre vie pourrait être nul. Pensez-y : si vous vendez votre chalet, allez-vous continuer de l'assurer ? Alors si vous ne produisez plus de revenu de travail, pourquoi vouloir continuer à vous assurer ? Bien sûr, l'assurance pourrait servir à couvrir les frais et les impôts occasionnés par votre décès. Toutefois, si vous avez bien préparé votre retraite, vous avez déjà suffisamment de liquidités pour régler ces affaires.

> **La majorité des besoins d'assurance vie sont temporaires. L'assurance vie n'est requise que le temps de régler certaines obligations financières (personnes à charge et dettes) qui ne s'éteignent pas à votre décès et d'accumuler suffisamment d'argent pour vous permettre une indépendance financière.**

Les exceptions et cas spéciaux

Il existe des exceptions à la règle précédente qui veut qu'en général, à la retraite, vous n'ayez plus besoin d'assurance vie. Si par exemple votre conjoint actuel n'est pas le bénéficiaire de votre régime de retraite, vous pourriez avoir besoin d'une assurance vie afin de le protéger, car ses revenus pourraient être insuffisants pour maintenir son niveau de vie après votre décès.

Vous pourriez aussi avoir besoin d'assurance vie si vous êtes actionnaire d'une entreprise. Généralement, le décès d'un actionnaire entraîne une facture fiscale importante, car votre succession se retrouverait avec de l'impôt à payer et un actif (votre entreprise) qui n'est pas facilement liquidable. Si vous êtes actionnaire d'une entreprise, il serait souhaitable de consulter un spécialiste : vous pourrez, par exemple, envisager de faire un gel successoral et calculer les impôts à payer à votre décès. Si vous prévoyez de vendre votre entreprise, une assurance temporaire est la solution pour vous. Si vous souhaitez plutôt léguer votre entreprise à vos enfants, une assurance vie permanente sans valeur de rachat est alors mieux adaptée à vos besoins (votre but étant la prestation de décès et non le rachat). Vos enfants auront ainsi les liquidités nécessaires pour acheter l'entreprise. Les primes de cette assurance vie pourraient même être payées par votre entreprise.

Vous pourriez aussi avoir besoin d'assurance vie si vous avez un enfant handicapé qui sera toujours à votre charge. La souscription d'une assurance permanente dont il sera l'héritier (ou une fiducie en sa faveur) vous procurera une tranquillité d'esprit, car les liquidités provenant de l'indemnité d'assurance garantiront le bien-être de votre enfant.

Calculer votre besoin d'assurance vie

Le calcul de votre besoin d'assurance vie peut paraître complexe. Il est pourtant simple. Il consiste en la somme de vos besoins moins l'argent qui sera disponible à votre décès. La formule mathématique est la suivante :

$$(A+B)-C$$

A comprend les liquidités nécessaires pour rembourser vos dettes (par exemple, le solde de votre emprunt hypothécaire) et payer les dépenses occasionnées par votre décès tels les frais mortuaires. Ces dernières dépenses varient selon vos attentes, mais une somme de 15 000 $ à 20 000 $ devrait suffire.

Si vous avez des personnes à charge et une hypothèque, il est préférable de vous assurer que votre hypothèque sera remboursée au complet lors de votre décès. Par ailleurs, il n'est pas nécessaire que l'assurance soit celle qui est offerte par votre prêteur hypothécaire ; une assurance individuelle peut aussi être adéquate.

B représente le capital nécessaire au maintien du niveau de vie de votre famille. Lorsque vous estimerez ce capital, ne tenez pas compte des paiements hypothécaires (car le montant pour le remboursement de votre hypothèque a déjà été prévu en A).

À cette étape, les calculs peuvent être un peu plus compliqués. Voici une règle du pouce qui devrait vous fournir une très bonne approximation. Il s'agit de multiplier le besoin en revenu annuel de vos personnes à charge par le nombre d'années où ces dépenses seront nécessaires.

> Alain a estimé que, advenant son décès, son fils Jacques aura besoin d'un revenu de 10 000 $ pendant 15 ans. Jacques a actuellement 10 ans et Alain veut l'aider financièrement jusqu'à la fin de ses études universitaires. Un capital de 150 000 $ en cas du décès du père est donc nécessaire. ▪

Le tableau suivant illustre cette règle du pouce.

CAPITAL NÉCESSAIRE AU MAINTIEN DU NIVEAU DE VIE

NOMBRE D'ANNÉES DE DÉPENDANCE	CAPITAL NÉCESSAIRE AU MAINTIEN DU NIVEAU DE VIE DE VOS PERSONNES À CHARGE OU DE VOTRE PARTENAIRE DE VIE		
	Revenu de 10 000 $	Revenu de 20 000 $	Revenu de 30 000 $
5	50 000 $	100 000 $	150 000 $
10	100 000 $	200 000 $	300 000 $
15	150 000 $	300 000 $	450 000 $
20	200 000 $	400 000 $	600 000 $

N. B. Le calcul précédent tient compte de l'inflation si cette dernière est équivalente au taux de rendement après impôts obtenu sur les placements effectués avec la prestation de décès. Si le taux de rendement après impôts est supérieur à l'inflation, le besoin d'assurance est inférieur. Si le rendement est inférieur à l'inflation, le besoin d'assurance est plus élevé que celui qui a été calculé avec cette règle du pouce.

C représente vos liquidités successorales après impôts, soit vos placements non enregistrés, les biens qui seront vendus à votre décès et les prestations d'assurance vie que vous avez déjà, y compris celles de vos assurances vie collectives. En général, il est préférable de ne pas tenir compte des placements enregistrés (REER) si vous les léguez à votre conjoint et que celui-ci les utilisera pour sa propre retraite.

Le tableau suivant fournit quelques exemples de calculs du besoin d'assurance vie. Pierre souhaite que sa conjointe Lise ait un revenu de 20 000 $ par année jusqu'au moment où elle célébrera ses 65 ans. À cet âge, elle aura pris sa retraite et ses dépenses seront assumées par ses propres revenus de retraite, et éventuellement par les REER légués par Pierre à son décès. Pierre a estimé que les frais occasionnés par son décès seraient de 20 000 $.

BESOIN D'ASSURANCE VIE DE PIERRE

ÂGE DE LISE	45	55	65
A. DETTES À REMBOURSER ET DERNIERS FRAIS (20 000 $)	200 000 $	100 000 $	20 000 $
B. CAPITAL NÉCESSAIRE AU MAINTIEN DU NIVEAU DE VIE DE LISE	400 000 $	200 000 $	0 $
C. LIQUIDITÉS SUCCESSORALES DE PIERRE	10 000 $	30 000 $	40 000 $
BESOINS D'ASSURANCE VIE = A + B − C	590 000 $	270 000 $	0 $

Comme nous pouvons le constater, le montant de ligne A diminue au fur et à mesure que les dettes sont remboursées. À 65 ans, il ne reste que la somme nécessaire pour couvrir les frais occasionnés par le décès de Pierre. Le montant de la ligne B diminue aussi au fur et à mesure que diminue la période pendant laquelle un revenu doit être versé aux survivants. Le montant de la ligne C va à contre-courant. Cette somme a plutôt tendance à augmenter au fur et à mesure que Pierre épargne de l'argent.

Puisque l'assurance vie sert à combler le manque à gagner occasionné par la perte du revenu du conjoint lors de son décès, le besoin d'assurance sur la vie de Pierre diminue au fur et mesure qu'il vieillit. À 45 ans, Pierre devait gagner un salaire pendant encore vingt ans. À 55 ans, il devait avoir un revenu pendant les dix années suivantes. À 65 ans, s'il a pris sa retraite, il n'y a plus de revenu de travail à remplacer.

> **Le besoin d'assurance vie a tendance à diminuer au fur et à mesure que vous remboursez vos dettes, que les personnes à votre charge vieillissent et que vous accumulez du capital.**

N'hésitez pas à faire appel à un spécialiste afin de vous aider à calculer votre besoin d'assurance vie. Une fois les calculs faits, il ne vous restera qu'à choisir le produit qui vous convient.

■ QUEL TYPE D'ASSURANCE VIE CHOISIR ?

Bien utilisée, l'assurance vie est un produit fabuleux. Elle assure le maintien du niveau de vie de votre famille advenant votre décès. Ses primes sont basses lorsque vous en avez généralement le plus besoin, soit lorsque vous êtes jeune et que vous avez des enfants à votre charge et des dettes impayées. L'assurance vie devient plus coûteuse lorsque vous n'en avez plus besoin, soit généralement à la retraite ou lorsque votre famille est financièrement autonome.

La définition de « décès »

En assurance vie, sauf dans de rares exceptions (par exemple lorsque le contrat est émis avec des exclusions spécifiques), la définition de « décès » est la même pour tous les contrats de toutes les compagnies. Le prix est donc un facteur déterminant dans le choix du produit.

Les assureurs ajoutent généralement aux contrats une clause d'exclusion pour le suicide de l'assuré pendant les deux premières années suivant la souscription du contrat. Cette exclusion signifie que, en cas de suicide de l'assuré, l'assureur ne paiera pas la prestation de décès. Plusieurs contrats d'assurance vie collective n'ont pas cette clause.

Il existe sur le marché deux grandes catégories d'assurance vie, soit les assurances temporaires et les assurances permanentes.

Les assurances temporaires

Si le besoin d'assurance est temporaire, il va de soi qu'une assurance temporaire est la bonne option. Généralement, pour couvrir un besoin à court terme, une assurance temporaire de 10 ans (connue sous l'appellation T-10) avec droit de renouvellement sera le produit adéquat. L'option de renouvellement (T-10R) vous permettra de renouveler votre assurance à un prix déjà indiqué dans le contrat initial, et ce, même si vous n'êtes plus « assurable » à cause d'importants problèmes de santé.

Besoin temporaire = assurance temporaire

Si vous souscrivez une assurance temporaire de 10 ans, vous devrez payer la même prime pendant la durée du contrat ; cela ne signifie pas que l'assurance se terminera après cette période. Dans 10 ans, vous allez devoir payer une prime plus élevée pour la période de renouvellement, et ainsi de suite. Dans bien des contrats, le droit de renouvellement se termine à l'âge de 70 ans ou de 75 ans. Conséquemment, vous pourriez être couvert jusqu'à l'âge de 80 ans ou de 85 ans. Une assurance vie temporaire de 20 ans (T-20) implique que vous allez payer la même prime pendant les vingt premières années et que la prime changera lors du renouvellement.

Si au renouvellement de votre contrat vous n'êtes pas en mauvaise santé, vous avez tout intérêt à souscrire une nouvelle assurance plutôt que de renouveler celle que vous avez déjà, puisque les coûts des assurances vie sont à la baisse. L'augmentation de l'espérance de vie et la compétition élevée dans ce domaine sont les principaux responsables de la baisse des primes.

Le tableau suivant illustre les primes d'une assurance vie temporaire de 10 ans dont le capital décès est de 100 000 $ pour un homme non fumeur. Les primes pour les femmes sont plus basses parce qu'elles ont, en moyenne, une espérance de vie supérieure à celle des hommes. Bien entendu, les fumeurs doivent débourser davantage. Les primes garanties sont les primes maximales que vous aurez à débourser, peu importe votre état de santé. Les primes indiquées dans la colonne « si bonne santé » sont les primes demandées lors de l'émission d'un nouveau contrat d'assurance vie.

PRIMES D'ASSURANCE VIE

HOMME NON FUMEUR, CAPITAL D'ASSURANCE DE 100 000 $		
	Exemple de primes	
ÂGE	GARANTIES	SI BONNE SANTÉ
30 ans	130 $	130 $
40 ans	294 $	164 $
50 ans	570 $	298 $
60 ans	1280 $	636 $
70 ans	3900 $	1874 $

Au renouvellement, n'oubliez pas d'ajuster le capital assuré en fonction de vos besoins. Vos besoins d'assurance sont susceptibles de changer régulièrement. Si vos besoins ont diminué et que cette diminution est définitive, remettez en question le montant de votre assurance. Il n'est pas nécessaire de payer pour une protection qui n'est plus requise. Avant de diminuer votre capital assuré ou de l'annuler, soyez certain que vos besoins ont diminué de façon définitive.

Si, *a contrario,* vos besoins ont augmenté au moment du renouvellement, n'hésitez pas à souscrire une nouvelle assurance.

Il est important de vérifier jusqu'à quel âge vous avez le droit de renouveler votre assurance et le prix des primes de renouvellement.

Les assurances temporaires transformables

Une autre caractéristique concernant la majorité des contrats d'assurance temporaire vendus au Canada est le droit de transformation (T-10RT ou T-20RT). Le droit de transformation signifie tout simplement le droit de transformer l'assurance temporaire en assurance permanente sans avoir à fournir une preuve de bonne santé. Ce droit de transformation s'éteint généralement lorsque vous atteignez vos 70 ans. Souscrire une assurance transformable équivaut à payer une prime supplémentaire pour l'option de choisir éventuellement un autre produit sans démontrer votre assurabilité.

Les assurances permanentes

Comme leur nom l'indique, les assurances permanentes procurent une protection durant toute la vie de l'assuré, même si celui-ci décède à 103 ans (comme la grand-mère d'un des auteurs). Bien entendu, les assurances permanentes offrant une protection la vie durant sont plus chères que les assurances temporaires.

Selon le rapport intitulé *Expérience de déchéance des polices d'assurance vie universelle à coût nivelé*, de l'Institut canadien des actuaires, environ 40 % des consommateurs d'assurance vie permanente annulent leur contrat dans les 15 années suivant leur souscription. Ces propriétaires de polices avaient souscrit de l'assurance permanente pour couvrir des besoins temporaires. Il aurait été donc préférable pour eux de souscrire une assurance temporaire qui leur aurait procuré la même protection à meilleur coût.

> **Avant de souscrire une assurance permanente, vous devez être certain d'avoir encore un besoin d'assurance vie permanent, soit jusqu'à un minimum de 80 ans.**

La grande majorité des besoins sont temporaires, à quelques exceptions près. Si vos besoins d'assurance vie sont permanents, vous pouvez choisir entre deux grandes catégories d'assurance : les assurances avec valeur de rachat et les assurances sans valeur de rachat.

La valeur de rachat

Une valeur de rachat est en quelque sorte de l'épargne qui s'accumule à l'intérieur de votre assurance, car vous déboursez des primes plus élevées que celles qui seraient exigées pour une assurance vie sans valeur de rachat. Cette valeur de rachat accumulée vous est remise lorsque vous annulez votre contrat d'assurance. Dans certains cas, vous pouvez faire des rachats sans même annuler votre contrat. Dans d'autres cas, il peut être possible d'utiliser votre police d'assurance vie en tant que garantie d'emprunt auprès d'une institution financière. Autrement dit, vous pourriez devoir payer

des intérêts pour avoir accès à votre argent! Les intérêts sur l'emprunt s'accumuleront et seront acquittés à
même la prestation lors de votre décès.

Si vos besoins en assurance vie sont permanents, il
est peu probable que vous ayez un jour à racheter votre
contrat. Une assurance vie permanente sans valeur de
rachat pourrait vous convenir. Les assurances vie sans
valeur de rachat offrent des primes moins élevées que
celles qui ont une valeur de rachat. Aussi, comme nous
le verrons en détail un peu plus loin, accumuler des
sommes dans une assurance n'est pas particulièrement
avantageux, fiscalement, contrairement à la croyance
populaire.

■ BIEN CHOISIR SES BÉNÉFICIAIRES

Un contrat d'assurance vie permet de nommer les
personnes de votre choix à titre de bénéficiaires. Le
bénéficiaire peut être nommé à titre révocable ou irrévocable. Un bénéficiaire révocable peut être remplacé
à votre guise. Si, dans votre contrat d'assurance vie (y
compris dans les assurances collectives), vous nommez
un bénéficiaire irrévocable, vous ne pourrez plus modifier votre choix sans son accord.

Ce bénéficiaire désigné recevra la prestation au décès
de l'assuré. La prestation de décès est non imposable.
Lorsqu'il y a un bénéficiaire, la prestation de décès ne
fait pas partie des valeurs détenues par la succession.
Ainsi, si la succession est déficitaire, les héritiers pourraient renoncer à la succession tout en conservant la
prestation de décès s'ils sont les bénéficiaires dési-
gnés. Le versement direct de la prestation de décès au
bénéficiaire est généralement plus rapide que si la prestation de décès doit transiter par la succession avant
d'être remise au bénéficiaire.

La désignation de bénéficiaire peut se faire dans le contrat d'assurance vie ou par testament. Il est donc important d'informer le notaire qui rédige votre testament de tous les contrats d'assurance que vous détenez, y compris les contrats d'assurance collective, car pour que la désignation de bénéficiaire soit valablement faite par testament, votre intention doit être claire. Il est également important d'aviser votre compagnie d'assurances de toute désignation ou modification de désignation de bénéficiaire effectuée par testament afin d'éviter qu'elle verse la prestation de décès à la mauvaise personne.

Parfois, il est approprié de désigner la succession comme bénéficiaire. C'est le cas si le propriétaire de la police souhaite désigner un enfant mineur ou incapable juridiquement comme bénéficiaire. S'il hérite directement du produit d'une assurance vie, l'intervention de la curatelle publique et d'un conseil de famille serait obligatoire. Dans une telle situation, il est plutôt préférable d'indiquer la succession comme bénéficiaire et de faire le legs par testament, en prévoyant une fiducie testamentaire ou une administration prolongée au bénéfice de l'enfant mineur ou incapable juridiquement. En léguant le produit de votre assurance vie de cette façon, vous aurez le loisir de choisir le fiduciaire, soit celui qui administrera l'héritage.

Il y a plusieurs années, Henri avait nommé Louise, alors sa conjointe de fait, comme bénéficiaire de son assurance vie. Il est maintenant marié avec Jacqueline, avec qui il a eu deux enfants. Puisqu'il n'a pas changé de bénéficiaire, c'est Louise, la bénéficiaire nommée au contrat, qui recevra sa prestation de décès. Si Henri et Louise avaient été mariés, un jugement de divorce aurait annulé la désignation de Louise comme bénéficiaire au contrat. ▪

▪ QUELQUES MYTHES OU ERREURS CONCERNANT L'ASSURANCE VIE

Dans le monde complexe de l'assurance, il existe plusieurs mythes concernant l'assurance vie.

Mythe 1 – L'assurance vie est un abri fiscal

Il n'est pas rare d'entendre dire que l'assurance vie est un abri fiscal. Contrairement à ce qu'on peut penser, la croissance de la valeur de rachat (dite épargne) qui s'accumule dans certains contrats d'assurance vie est imposée. L'impôt fédéral annuel[40] de 15 % est payé directement par la compagnie d'assurance vie. Un peu comme le prix de l'essence à la pompe contient les taxes. Cet impôt et les frais d'administration ou de gestion sont inclus dans les primes que vous payez. En plus de cet impôt fédéral, les compagnies d'assurance de personnes doivent verser au gouvernement du Québec des taxes équivalant à 2,55 % des primes qu'elles perçoivent. Aussi, lors d'un retrait de sommes accumulées dans ce genre de police d'assurance vie, si la valeur de rachat est supérieure au coût de base rajusté du contrat (soit les primes sans les avenants, moins le coût net d'assurance), vous devrez ajouter cet écart à votre déclaration de revenu et payer de l'impôt selon votre taux marginal d'imposition.

Lorsqu'on tient compte de tous ces facteurs, on comprend que l'assurance vie utilisée à des fins de placements n'est pas avantageuse fiscalement. L'Association canadienne des compagnies d'assurance de personnes, dans son mémoire intitulé *L'Industrie*

des assurances de personnes du Canada Régime fiscal
présenté en novembre 1997 au Groupe de travail sur
l'avenir du secteur des services financiers canadien,
faisait mention que le taux d'impôt gagné dans une assurance vie était le même que le taux d'imposition moyen
qui serait exigible sur un même placement fait hors
police[41].

Soyez vigilant et faites attention aux projections d'accumulation des valeurs de rachat que l'on pourrait vous
remettre. Trop souvent, les projections ne tiennent pas
compte de l'ensemble des frais et se basent sur des taux
de rendement irréalistes.

> **Contribuer au REER, au CELI, au REEE et
> rembourser vos dettes est nettement plus
> avantageux que d'épargner par l'entremise
> d'une valeur de rachat d'un contrat d'assu-
> rance vie. N'oubliez pas le premier principe
> de base de l'assurance vie : ce produit est
> un produit de protection, non pas un produit
> de placement.**

Mythe 2 – Les primes fixes sont plus avantageuses que les primes à paliers

Un autre mythe répandu concernant l'assurance vie
est que les primes fixes seraient meilleures que les
primes à paliers. Certaines personnes additionnent les
primes nivelées (fixes pour toute la durée du contrat)
d'une assurance et comparent le résultat à l'addition des
primes d'une assurance temporaire de 10 ans (T-10), qui
augmentent à chaque renouvellement. Ainsi, ils arrivent à la conclusion erronée que les assurances T-10
renouvelables sont plus coûteuses à long terme. En
calculant ainsi, ils oublient que le fait de verser 1 000 $
dans 10 ans n'aura pas le même impact sur vos finances

personnelles que de verser 1 000 $ immédiatement. Avec un taux de rendement de 5 %, une somme de 1 000 $ dans 10 ans équivaut à 614 $ d'aujourd'hui. Une somme de 1 000 $ dans 20 ans équivaut à 377 $ d'aujourd'hui. Une somme de 1 000 $ dans 30 ans équivaut à 231 $ en dollars d'aujourd'hui. C'est ce que les actuaires appellent l'actualisation. Les comparaisons boiteuses ont tendance à négliger aussi deux autres aspects importants. Le premier est que le besoin d'assurance vie a généralement tendance à diminuer au fur et à mesure que vous remboursez vos dettes et que vos enfants vieillissent ou atteignent l'autonomie financière, ce qui favorise l'option des primes à paliers au détriment des primes fixes. Le second est que, si vous êtes en bonne santé au moment du renouvellement, vous pourrez obtenir des primes moindres.

Des sites Internet[42] offrent un service de soumission d'assurance vie qui vous permettra de comparer les primes d'assurance de plusieurs compagnies. À l'aube de la retraite, il est important que vous contrôliez vos dépenses, y compris celles de vos primes d'assurance. Chaque dollar déboursé pour de l'assurance est un dollar en moins pour vos autres objectifs.

Mythe 3 – Il faut s'assurer pour payer les impôts au décès

Le troisième mythe répandu en assurance vie est qu'il faut assurer les impôts sur vos placements enregistrés : REER ou FERR. Lors de votre décès, si ce n'est pas votre conjoint qui hérite de votre régime enregistré, sa valeur sera imposée avant d'être remise à votre succession.

Ces placements enregistrés sont des sources de revenu à la retraite. Une fois retraité, vous décaisserez régulièrement vos placements enregistrés. Leur valeur diminuera au fil des ans, et les impôts payables à votre décès diminueront donc proportionnellement.

Si vous décédez avant que vos placements enregistrés soient épuisés, vos héritiers recevront le solde restant moins les impôts exigibles. Ce sera un surplus pour eux.

L'achat d'une assurance vie pour payer les impôts au décès équivaut à commencer à payer immédiatement les impôts exigibles à votre décès. Les primes que vous payez sont en quelque sorte des avances sur votre facture fiscale.

Mythe 4 – Il est capital d'assurer les jeunes enfants

Le quatrième mythe est celui qui prétend que nous devons assurer nos enfants dès leur jeune âge. Il est davantage important que les parents possèdent des assurances vie adéquates et suffisantes sur leur propre vie. Ce sont les parents qui assurent la subsistance des enfants, pas l'inverse.

> François a souscrit une assurance vie permanente avec valeur de rachat sur la vie de son fils Richard. Il était très fier du cadeau qu'il faisait ainsi à son fils. Un matin, François ne s'est pas réveillé parce qu'il a eu un accident vasculaire cérébral. Suivant le décès de François, sa conjointe, Claudie, a dû se résigner à retirer leur fils Richard de l'école privée, car François n'avait pas souscrit suffisamment d'assurance sur sa propre vie de façon à maintenir le niveau de vie de sa famille, advenant son décès.

Le véritable cadeau à faire à vos enfants mineurs, ce n'est pas de souscrire une assurance sur leur vie mais de vous assurer afin que, si vous décédez ou devenez invalide, ils puissent maintenir leur niveau vie actuel.

Il n'est pas rare que l'assurance collective au travail assure automatiquement les personnes à charge de l'employé. Il est important de vérifier si votre assurance collective est suffisante pour payer les frais mortuaires engendrés par le décès éventuel de vos enfants. Si ce n'est pas le cas, il est possible d'ajouter un avenant, c'est-à-dire une option familiale à votre contrat d'assurance vie individuelle. Pour quelques dollars supplémentaires, vos enfants pourraient être assurés pour une protection entre 10 000 $ et 20 000 $, ce qui servirait à couvrir certains frais occasionnés par leur décès.

Mythe 5 – L'assurance vie est le moyen idéal pour faire un don à vos enfants

L'assurance vie est le produit à privilégier pour faire un don à vos enfants : voilà un autre mythe répandu. Attendu qu'en moyenne les Québécois décèdent vers l'âge de 80 ans, il est possible qu'au moment de votre décès vos enfants soient déjà à la retraite.

Le premier cadeau à faire à vos enfants est donc de leur permettre d'acquérir une bonne formation et de les aider à devenir indépendants. Alors, ne négligez pas le régime enregistré d'épargne étude, qui en plus vous fait profiter de subventions.

L'utilisation d'un REEE est de loin le meilleur outil pour financer les études de vos enfants ou de vos petits-enfants.

Le deuxième cadeau à faire à vos enfants est de faire en sorte que vous ne dépendrez pas financièrement d'eux à votre retraite. Ne négligez pas votre épargne pour la retraite parce que vous dépensez trop en assurance. Mieux vaut être réaliste. La majorité des Québécois n'ont pas suffisamment épargné pour leur retraite. Pour faire un legs de votre vivant à vos enfants, et ce, au moment de leur vie où ils en ont besoin, vous devez vous assurer d'avoir accumulé un surplus de liquidités qui ne vous sera pas nécessaire pour votre propre retraite.

En matière d'assurance vie, comme pour le reste de la vie, un juste équilibre est nécessaire. Achetez suffisamment d'assurance pour combler vos besoins, mais pas trop, car cela pourrait diminuer votre niveau de vie actuel ou votre capacité à épargner pour votre retraite.

Mythe 6 – Les assurances vie collectives, des protections potentiellement perdues!

Un autre mythe répandu est qu'il ne faudrait pas compter sur nos assurances vie collectives, car nous risquons de les perdre en perdant notre emploi. C'est faux. Avant 65 ans, lorsqu'il cesse de faire partie du groupe, l'employé (adhérent) a le droit de convertir son assurance vie collective en assurance individuelle dans un délai de 31 jours[43].

Si vous êtes en bonne santé au moment de la cessation de votre emploi, magasinez pour un nouveau contrat d'assurance vie, car malgré le droit de transformation de votre assurance collective en assurance vie personnelle, il n'est pas certain que l'assureur de votre contrat collectif offre les meilleurs tarifs pour votre groupe d'âge.

Ce droit de transformation ne s'applique pas obligatoirement à l'assurance invalidité ni à l'assurance maladie, bien que rien n'empêche un assureur de vous l'offrir. Puisque ce droit de transformation est un minimum légal, vérifiez le droit de transformation que votre contrat d'assurance collective offre. Prenez le temps de lire votre brochure d'assurance collective, vous y constaterez peut-être que vous êtes mieux protégé que vous le pensiez.

■ LES ASSURANCES INVALIDITÉ

Il existe plusieurs sortes d'assurance invalidité, dont certaines sont spécifiquement conçues pour les travailleurs autonomes. Tous les travailleurs, salariés ou autonomes, devraient avoir une assurance invalidité. Souvent, les salariés sont couverts par une assurance invalidité collective. Les travailleurs autonomes doivent y souscrire eux-mêmes.

L'assurance invalidité perte de revenu

Cette assurance (souvent appelée « assurance salaire ») prévoit qu'une prestation mensuelle (parfois hebdomadaire en assurance collective) vous sera versée en remplacement du revenu que vous perdriez si vous deveniez invalide à la suite d'un accident ou d'une maladie.

> **Avant la retraite, souscrire une assurance invalidité est généralement plus important que de souscrire une assurance vie.**

Avant la retraite, l'assurance invalidité est généralement plus importante que l'assurance vie. Si certaines dépenses disparaissent avec le défunt, l'invalide a toujours besoin de subvenir à ses besoins. Bizarrement, il y a davantage de gens qui souscrivent une assurance vie au détriment d'une assurance invalidité. Les gens comprennent qu'ils vont mourir, mais ne semblent pas comprendre qu'ils peuvent aussi devenir invalides. Bien entendu, la souscription d'une assurance invalidité individuelle ne peut se faire que si vous n'avez pas de problèmes de santé trop importants.

Les gens hésitent parfois à souscrire une assurance invalidité à cause de son coût élevé. Mais les primes élevées des assurances invalidité, comparativement aux primes des assurances vie, s'expliquent par le fait que, avant 65 ans, la probabilité de devenir invalide est supérieure à celle de décéder. Les primes des assurances invalidité sont aussi plus élevées parce que le montant de protection d'une assurance invalidité est généralement supérieur à celui d'une assurance vie ou d'une assurance habitation.

Malheureusement, trop de gens ne prêtent attention qu'au montant mensuel de la rente et oublient que, contrairement à l'assurance vie, les prestations d'une assurance invalidité sont récurrentes et payables à chaque mois jusqu'à 65 ans.

Les éléments importants
à vérifier en assurance invalidité

La protection d'assurance invalidité perte de revenu devrait être suffisante pour que vous et votre famille puissiez conserver votre niveau de vie et continuer à épargner pour votre retraite. Vous devez effectivement continuer à épargner pendant une invalidité, car l'assurance invalidité cesse généralement de verser des prestations (rente d'invalidité) lorsque vous atteignez l'âge de 65 ans. Si les prestations ne sont pas imposables, l'épargne ne pourra pas se faire dans un REER, puisque vous n'aurez plus de revenus procurant des droits de cotisation.

Voici les points que vous devez vérifier.

■ Êtes-vous couvert par une assurance collective à votre travail ou par une assurance offerte par une association ?

■ Vos bonis, commissions et heures supplémentaires sont-ils inclus dans le salaire qui sert à déterminer vos prestations ?

■ Les prestations d'invalidité sont-elles imposables ? Quand elles le sont, comparez la rente d'invalidité avec votre revenu brut (avant impôts). Lorsque les prestations ne sont pas imposables, comparez la rente d'invalidité avec votre revenu net (après impôts et charges sociales) afin de vérifier si la prestation d'invalidité est suffisante.

■ Quelle est la durée maximale des prestations ? Elles devraient être versées jusqu'à ce vous atteignez 65 ans. Attention, certains régimes d'assurance invalidité ne versent des prestations que pendant quelques années.

■ Les prestations seront-elles indexées annuellement à l'inflation ? Sans cette option, et avec un taux d'inflation de 2 %, la perte de votre pouvoir d'achat sera de 18 % après 10 ans et du tiers après 20 ans. Sans l'option d'indexation à l'inflation, le filet mignon sera remplacé par le saucisson de Bologne dans votre panier d'épicerie.

■ Quelle est la période (le délai de carence) avant que vous soyez admissible aux prestations ? Généralement, les prestations d'assurance invalidité ne vous sont versées qu'après un certain délai. Plus le délai de carence est long, plus les primes sont réduites. Vous devez vous assurer d'avoir un fonds d'urgence suffisant pour pouvoir effectuer normalement vos dépenses pendant cette période. Ce fonds d'urgence, parfois appelé « fonds de prévoyance », vous permet de faire face aux imprévus (perte temporaire d'emploi, réparation de votre maison, automobile, etc.) sans que votre santé financière soit mise en péril.

■ Si vous avez un régime de retraite au travail, vérifiez si vos crédits de rentes de retraite continueraient de s'accumuler advenant une invalidité prolongée.

Vous devez avoir suffisamment de protection pour pouvoir continuer à épargner pendant votre invalidité, car les prestations (les rentes) d'assurance invalidité cessent généralement d'être versées à 65 ans.

Si votre protection est insuffisante...

S'il s'avère que votre protection est insuffisante pour conserver votre niveau de vie actuel et continuer d'épargner pour votre retraite durant votre invalidité, vous pourriez envisager de souscrire une assurance supplémentaire qui complétera votre assurance collective. Vous pourriez aussi envisager de souscrire une assurance épargne retraite non enregistrée en cas d'invalidité. Lors de votre invalidité, cette assurance verserait mensuellement un montant dans un compte de placement administré par l'assureur. Vous pourrez ensuite encaisser les dépôts et les rendements obtenus lorsque vous aurez 65 ans. Vous pourriez aussi envisager de souscrire à une assurance invalidité couvrant vos emprunts si vous avez emprunté auprès d'une institution financière. Cette assurance ferait les paiements mensuels à votre place. La durée des prestations est généralement limitée à quelques années seulement. Ces assurances supplémentaires peuvent être individuelles ou collectives si vous faites partie d'une association qui offre ce type de produit.

Martin a glissé et est tombé lorsqu'il déblayait son entrée de garage. Il s'est déplacé une vertèbre et ne peut plus travailler. Lorsqu'il a reçu son premier chèque de rente d'invalidité, il a constaté que celui-ci ne représentait que 50 % de sa paye habituelle. Il se demande comment il va faire pour continuer à payer son hypothèque. ■

Daniel est devenu invalide après une maladie. Il a dû diminuer ses dépenses et a de la difficulté à acquitter le paiement de ses dettes. Il risque de perdre sa maison.

Marie-Ève a chuté dans un escalier et est devenue invalide. Elle se considère chanceuse parce que sa maison est entièrement payée. Malgré tout, elle est inquiète parce que ses prestations d'invalidité cesseront dans cinq ans. ■

L'assurance invalidité est au cœur d'une bonne planification financière. Une protection insuffisante ou qui n'est pas payable jusqu'à la retraite peut avoir de graves conséquences.

Daniel et Marie-Ève auraient eu tout avantage à souscrire des assurances invalidité protégeant leurs revenus jusqu'à la retraite.

Besoin particulier des travailleurs autonomes ou des propriétaires d'une petite entreprise

L'assurance invalidité traditionnelle verse des prestations pour compenser votre perte de revenu, mais ne permet pas de faire fonctionner votre entreprise pendant que vous êtes invalide.

L'assurance invalidité frais de bureau rembourse les dépenses d'affaires (loyer, assurance, électricité, téléphone, salaire de votre personnel, etc.) que vous devez continuer à faire pendant votre invalidité. Les prestations de ce type d'assurance sont généralement limitées à un an ou deux, soit le temps nécessaire pour réorganiser ou vendre votre entreprise. Les primes de cette assurance sont déductibles de votre revenu professionnel ou d'entreprise.

Lors d'une invalidité, les prestations sont imposables, mais elles remboursent des dépenses qui, elles, sont déductibles. Le résultat global est donc neutre sur le plan des impôts.

■ LES AUTRES TYPES D'ASSURANCE DE PERSONNES

Outre les assurances vie, invalidité et habitation, il existe plusieurs autres types d'assurances.

L'assurance voyage

Toute personne qui voyage devrait avoir une bonne assurance voyage, car les dépenses médicales d'urgence peuvent être très élevées, particulièrement aux États-Unis. Les régimes publics d'assurances du Québec remboursent :

■ les frais engagés pour les soins médicaux selon les tarifs en vigueur au Québec ;

■ les frais engagés pour les services hospitaliers hors Canada jusqu'à concurrence de 100 $ par jour.

> Lors de son dernier voyage en Floride, Paul a été hospitalisé pendant trois jours. Les frais d'hospitalisation et les coûts médicaux se sont élevés à 26 000 $. La somme remboursée par la Régie de l'assurance maladie du Québec a été de 735 $. Le voyage de Paul lui a donc coûté 25 265 $ de plus que prévu. Heureusement qu'il n'a pas eu à subir d'opération[44] ! ■

La plupart des salariés ont cette assurance privée par l'entremise de leur assurance collective. Beaucoup trop de gens achètent inutilement une assurance voyage par l'entremise d'une agence de voyage alors qu'ils en ont déjà une au travail.

Avant d'acheter une assurance voyage par l'entremise d'un agent de voyage, vérifiez si vous n'êtes pas déjà couvert par votre assurance collective.

Vérifiez la présence d'une clause de conditions médicales préexistantes dans votre contrat actuel ou dans le contrat qui vous est offert. Si votre contrat contient une telle clause, une consultation médicale qui engendre entre autres un changement de posologie quelques semaines, voire des mois avant de partir en voyage pourrait vous faire perdre votre protection pendant votre voyage.

Vérifiez également les éléments suivants.

- Quel est le montant de la franchise, soit le montant que l'assureur ne remboursera pas ?
- Devez-vous payer un pourcentage des soins ? Une fois la franchise absorbée, l'assureur rembourse-t-il 100 % des soins assurés ou seulement un pourcentage déterminé au contrat ? Ce type de clause est souvent appelée « coassurance » ou « clause de participation ».
- Est-ce que la limite de remboursement est raisonnable ? Une intervention médicale aux États-Unis peut coûter plusieurs centaines de milliers de dollars, ne l'oubliez pas.
- Quelles sont les exclusions ?

Il est important de ne pas confondre *assurance* voyage avec *assistance* voyage. Une assurance voyage rembourse les frais engagés d'urgence à l'étranger, alors qu'un programme d'assistance vous aide à trouver des soins, mais ne les rembourse pas.

Avant d'engager des frais à l'étranger, vous devez téléphoner au numéro d'urgence, à moins d'être dans l'impossibilité de le faire ; sinon, le remboursement de ces frais pourrait vous être refusé.

Une assurance voyage peut aussi inclure une assurance annulation (elle rembourse vos frais de voyages déjà déboursés si vous devez annuler votre voyage pour une raison assurée) et une assurance interruption (elle rembourse vos frais de voyages déjà payés si vous devez interrompre votre voyage pour une raison assurée).

Ne voyagez pas à l'étranger sans être couvert par une assurance voyage adéquate. Les dépenses de santé pourraient vous coûter plus cher que votre maison !

L'assurance soins de longue durée

Elle a pour but de dédommager l'assuré pour les frais occasionnés par des soins de longue durée à domicile ou en institution. Si l'assuré est incapable d'effectuer certaines tâches de la vie quotidienne (celles qui sont définies au contrat), l'assurance soins de longue durée verse un montant forfaitaire pendant une période déterminée (par exemple, deux ans) ou rembourse les frais non couverts par les différents régimes de protection de l'État québécois.

L'assurance maladies graves

L'assurance maladies graves verse une somme forfaitaire si vous êtes diagnostiqué d'une maladie couverte (en nombre limité) et que vous survivez au moins 30 jours au diagnostic. Les maladies les plus souvent couvertes sont les crises cardiaques, le cancer et les accidents vasculaires cérébraux. De plus, il faut souvent que la maladie couverte représente un danger de mort pour que la prestation soit versée.

Ce type d'assurance ne respecte pas le troisième principe de base de l'assurance : si vous contractez de l'assurance, achetez celle qui offre la protection la plus étendue.

L'assurance maladies graves ne doit pas remplacer une bonne assurance invalidité. L'assurance invalidité vous protège à la fois contre les accidents et les maladies.

L'assurance maladies graves est plus utile dans les pays où la couverture d'assurance santé est déficiente, comme aux États-Unis. Au Canada, elle peut être un complément dans un programme d'assurance qui correspond à vos besoins, mais pas le pilier de ce programme. Cette tâche revient à l'assurance invalidité et à l'assurance vie. En termes de priorité, elle passe aussi après l'assurance voyage et généralement après l'assurance soins de longue durée.

■ QUE SE PASSE-T-IL LORSQU'UNE COMPAGNIE D'ASSURANCE DE PERSONNES FAIT FAILLITE ?

Au Canada, il n'y a eu que trois mises en liquidation de compagnies d'assurance de personnes (Les Coopérants, La Souveraine Vie, La Confédération Vie), et la perte maximale que les assurés ont dû subir fut de 10 %. Cependant, comme pour les placements, le passé n'est pas garant de l'avenir, surtout en cette période de turbulences des marchés financiers.

Lorsqu'une compagnie d'assurance de personnes fait faillite, Assuris offre plusieurs protections aux assurés. Assuris est un organisme à but non lucratif qui regroupe les assureurs de personnes qui offrent de l'assurance au Canada. Cette organisation est en quelque sorte l'équivalent de l'assurance dépôts pour les institutions de dépôts telles que les banques, caisses populaires, etc.

Voici une brève description de quelques garanties offertes par Assuris lorsque les polices d'assurance sont transférées à un autre assureur.

L'assurance vie

«Au moment du transfert, Assuris garantit que vous conserverez 85 % du capital décès promis, ou 200 000 $ si cette somme est plus élevée.»

«Au moment du transfert, Assuris garantit que vous conserverez 85 % de la valeur de rachat, ou 60 000 $ si cette somme est plus élevée.»

L'assurance invalidité et l'assurance soins de longue durée

«Au moment du transfert, Assuris garantit que vous conserverez 85 % du revenu mensuel promis ou 2 000 $ par mois, si cette somme est plus élevée.»

L'assurance voyage

«Au moment du transfert, Assuris garantit que vous conserverez 85 % des prestations promises, ou 60 000 $ si cette somme est plus élevée.»

Pour plus de détails, car les règles d'application sont compliquées, veuillez consulter le site Internet <www.assuris.ca>.

■ L'ASSURANCE DE DOMMAGES

L'assurance de dommages comprend entre autres l'assurance habitation, l'assurance automobile et l'assurance responsabilité.

L'assurance habitation

Le montant de protection de votre assurance doit être assez élevé pour assurer la reconstruction de votre résidence. Il coûte en effet beaucoup plus cher de déblayer et de reconstruire après un incendie ou une inondation que d'acheter une nouvelle résidence comparable. L'évaluation municipale et la valeur marchande de votre habitation ne sont donc pas un bon indicateur du montant d'assurance que vous avez besoin de souscrire. Demandez à un courtier d'assurance de dommages d'évaluer la valeur de reconstruction.

La formule tous risques

La formule de base ne vous protège que contre les risques indiqués au contrat, alors que l'assurance tous risques vous protège contre tous les risques, sauf les exclusions mentionnées au contrat. N'oubliez pas le troisième principe de base : si vous contractez de l'assurance, achetez celle qui offre la protection la plus étendue.

La formule d'assurance tous risques est préférable à la formule de base.

L'inventaire

Il est important de faire un inventaire de vos biens, car vous devez prouver la possession et la perte de ceux-ci. Bien entendu, il ne doit pas être conservé à votre résidence, car il pourrait être détruit en même temps que celle-ci.

L'idéal est de mettre l'inventaire ainsi que des photos des biens sur un CD ou une clé USB, et de déposer le tout dans votre coffret de sûreté à votre institution financière. Si vous n'avez pas de coffret de sûreté, confiez-le à une personne en qui vous pouvez avoir confiance. Bien entendu, elle ne doit pas habiter le même immeuble que vous.

La valeur à neuf ou la valeur dépréciée ?

En assurance habitation, l'option valeur à neuf est tout indiquée pour protéger à la fois votre immeuble et son contenu. Sinon, l'assureur vous indemnisera en fonction de la valeur dépréciée, c'est-à-dire la valeur réelle du bien au moment du sinistre, et vous devrez payer le supplément pour remplacer le bien si son coût de remplacement est plus élevé.

La protection pendant un voyage ou une absence

Avant de quitter votre résidence pour plus de 96 heures en période de gel, vous devez prendre des mesures particulières si vous désirez continuer à être protégé pour les dommages causés par le gel de vos installations sanitaires. Par exemple, fermez l'eau ou demandez à une personne de confiance de venir vérifier l'habitation tous les jours. Communiquez avec votre assureur à ce sujet.

Si vous laissez votre résidence vacante (vide du contenu nécessaire pour y habiter) pendant plus de 30 jours, ou si vous la quittez sans avoir l'intention d'y revenir (maladie en phase terminale, séparation, etc.), vous devez obtenir de votre assureur un permis de vacance, sinon vous perdrez toute protection d'assurance, qu'il s'agisse de votre demeure principale ou de votre chalet.

L'importance de l'assurance responsabilité

L'assurance habitation vous protège non seulement contre la destruction de vos meubles et de votre résidence, mais également contre les dommages causés par vos actes ou vos biens. Supposons que vous êtes locataire ou copropriétaire et que vous provoquez involontairement un incendie qui détruit l'immeuble où vous habitez (à cause d'une défectuosité de votre friteuse, par exemple). Votre assurance responsabilité couvrira ces dommages. En revanche, si la perte subie par autrui est supérieure au montant de votre assurance responsabilité civile, alors ceux-ci pourront saisir vos biens physiques et financiers (placements).

Il est donc très important d'avoir un montant d'assurance responsabilité civile élevé. Souscrivez une assurance responsabilité civile complémentaire (*umbrella* en anglais). Celle-ci offre une protection mondiale plus étendue que les assurances responsabilité de base et complète vos assurances responsabilité civile, automobile ou habitation.

Un immeuble locatif

Si vous êtes propriétaire d'un édifice à logements et que vous l'avez hypothéqué, l'avenant perte de loyer devrait être ajouté à votre contrat. Cette option vous aidera à effectuer vos paiements hypothécaires même si vos anciens locataires ont dû déménager à la suite d'un sinistre assuré, un incendie, par exemple.

La règle proportionnelle

Voyez si votre contrat contient une clause de règle proportionnelle. C'est une règle fondamentale dont l'application doit être bien comprise si vous voulez éviter des surprises désagréables lors d'une réclamation. Elle se retrouve dans plusieurs des contrats d'assurance personnels et commerciaux. Son but est de décourager les assurés de recourir à la sous-assurance afin d'économiser sur la prime.

Ainsi, en vertu de la règle proportionnelle, l'indemnité sera réduite si le montant d'assurance inscrit aux conditions particulières est inférieur à un certain pourcentage de la valeur réelle ou la valeur à neuf des biens assurés au jour du sinistre. L'assuré devient alors coassureur, car il doit assumer un pourcentage des dommages.

En assurance habitation, la règle proportionnelle peut diminuer les avantages de la valeur à neuf.

En assurances commerciales, la pénalité est plus importante. Le calcul de l'indemnité est fait selon la méthode suivante : montant d'assurance multiplié par la perte et divisé par le montant d'assurance requis selon la règle proportionnelle.

Pour bien comprendre l'implication de cette clause, voici un exemple pratique.

- Valeur à neuf du bâtiment : 500 000 $
- Règle proportionnelle : 80 %
- Montant assuré : 300 000 $
- Dommages à la valeur à neuf lors d'un sinistre : 50 000 $

L'indemnité versée sera donc de :
(300 000 $ × 50 000 $) / (500 000 $ × 80 %) = 37 500 $,
moins la franchise.

L'assureur paiera alors 37 500 $ moins la franchise,
et non pas 50 000 $ moins la franchise. C'est l'assuré qui
devra absorber les 12 500 $ de dommages restants.

Il est à noter que plus le pourcentage de la règle
est élevé (le maximum étant de 100 %), plus la pénalité sera forte.

L'assurance automobile

Comme pour l'assurance habitation, il est important
d'avoir une bonne protection d'assurance responsabilité civile avec votre assurance automobile, particulièrement si vous voyagez à l'extérieur du Québec avec votre
voiture. La protection minimale obligatoire au Québec
(50 000 $ pour les voitures de tourisme) est nettement
insuffisante.

Et comme pour l'assurance habitation, il est préférable de souscrire une protection tous risques plutôt
qu'une assurance qui ne couvre que des risques spécifiques, par exemple la collision seulement. Un vol, la chute
d'un arbre ou la grêle ne sont pas des collisions...

Les options

Il existe plusieurs options qui pourraient vous être
utiles. En assurance automobile, elles sont désignées
sous le vocable « formulaire d'assurance du Québec »
(FAQ).

L'option FAQ n° 20, ou « extension de la privation de
jouissance », vous versera un montant forfaitaire pendant
que vous ne pourrez pas utiliser votre voiture à la suite
d'un accident ou d'un vol. Vous pourrez alors louer une
auto pendant que votre automobile est en réparation à
la suite d'un risque assuré. Cette option est particulièrement utile pour les gens qui ont besoin de leur voiture

pour travailler. Mais elle n'est généralement pas utile si vous avez plusieurs automobiles.

L'option FAQ n° 43 (A à E), ou «modification à l'indemnisation», vous remboursera l'équivalent de la valeur à neuf plutôt que la valeur dépréciée de votre voiture. Cette option est surtout utile pendant les premières années suivant votre achat. Sans cette option, si vous avez un accident en sortant du stationnement du concessionnaire, vous recevrez de 10 % à 20 % de moins que ce que vous venez de débourser pour acheter votre voiture.

L'option FAQ n° 27, ou «extension de responsabilité civile pour dommages à des véhicules n'appartenant pas à l'assuré», vous permettra entre autres de louer des voitures à court terme au Canada et aux États-Unis continentaux sans avoir à souscrire l'assurance offerte par le locateur.

L'assurance automobile étant complexe, posez des questions à votre courtier pour vérifier le niveau et la qualité de votre protection. N'hésitez pas à souscrire une protection additionnelle si cela s'avère nécessaire.

Le choix des franchises

L'économie de prime faite en optant pour une franchise plus élevée permet souvent d'économiser l'équivalent de la franchise en quelques années. Par exemple, en faisant passer la franchise de 250 $ à 500 $ par sinistre, vous pouvez possiblement faire une économie de prime 100 $. Donc, après une absence de réclamation pendant deux ans et demi, vous avez déjà économisé l'équivalent de l'augmentation de la franchise. Demandez à votre courtier des soumissions pour différentes franchises.

Les sommes ainsi économisées pourront vous aider à financer la souscription d'avenants qui augmenteront votre protection.

■ LES GARANTIES PROLONGÉES

Les garanties prolongées sont une assurance contre la défectuosité prématurée d'un bien. Quatre facteurs défavorisent la souscription de ce type de garantie.

■ Premièrement, le fabricant connaît davantage la durée de vie du bien vendu que vous. Donc, il peut choisir une durée de la garantie inférieure à la durée de vie prévue de son produit.

■ Deuxièmement, au Québec, un fabricant doit offrir une garantie légale pour son produit. Vous risquez donc de payer en double pour une protection que vous avez déjà.

■ Troisièmement, selon l'étude *Extending the Theory to Meet the Pratice of Insurance* publiée par les professeurs de Harvard David M. Cutler et Richard Zeeckhauser, les frais reliés à ce type de produits peuvent atteindre 90 % de la prime. Autrement dit, pour chaque 100 $ de prime, 90 $ sont absorbés par les frais et la marge de profit, ce qui laisse seulement 10 $ de prestations globales à payer aux assurés pour leur réclamation.

■ Quatrièmement, si le bien que vous achetez a réellement besoin d'une telle garantie, c'est qu'il est de piètre qualité. Vous ne devriez alors pas acheter ce produit.

POINTS À NE PAS OUBLIER

■ Il est important de vérifier régulièrement si vos protections d'assurance correspondent toujours à vos besoins.

■ Rappelez-vous que la gravité financière d'un risque est plus importante que la probabilité qu'il se matérialise quand vous évaluez la pertinence de souscrire une assurance. Le risque de décéder, pour un veuf de 80 ans, est plus élevé que celui d'une mère célibataire de 25 ans, mais les conséquences pour les enfants de cette dernière sont nettement plus importantes que pour les enfants du veuf.

■ Il faut éviter d'être sous-assuré, car si un risque non couvert se produit, cela peut mettre votre situation financière en péril, et vous devrez alors retarder votre retraite.

■ À l'inverse, si vous payez des primes pour des protections qui ne vous sont plus utiles, c'est autant d'argent que vous n'économisez pas pour votre retraite.

■ Les assurances ne sont pas vendues à perte, elles sont des sources de profit pour les assureurs, et non pas pour vous.

■ Ne confondez pas assurance et placement.

Chapitre 9

Investir dans ses finances

MAURICE : Je suis inquiet, je vais bientôt
    prendre ma retraite, et mes placements
    font les montages russes.
ROBERT : Moi, je suis chanceux. Je travaille
    pour la Ville et je vais avoir droit à
    une rente d'un régime de retraite.
HENRI : Moi, mon planificateur financier m'a
    expliqué comment construire ma propre caisse
    de retraite, mon propre fonds de pension sur
    mesure.
MAURICE : Ça m'intéresse. As-tu les coordonnées
    de ton planificateur financier ?

————————————————————

La crise financière a bouleversé les perspectives de retraite de plusieurs personnes, car elles avaient basé leur plan sur des attentes de rendements irréalistes. Les investisseurs s'étaient transformés en spéculateurs. Plutôt que d'avoir acheté des titres en fonction des revenus qu'ils pouvaient générer, ils les avaient achetés dans l'espoir de les revendre plus chers à un autre spéculateur, qui lui espérait pouvoir les revendre à un autre spéculateur encore plus casse-cou, et ainsi de suite.

Il est grand temps d'adapter vos placements à vos besoins et de ne plus vivre dans l'espoir d'un rendement élevé, mais plutôt d'être conscient des risques.

Lorsque vient le temps de choisir leurs placements, trop de gens commettent l'erreur de le faire en fonction des rendements qu'ils espèrent obtenir. Pourtant, en pratique, personne ne connaît le rendement futur des marchés. C'est un élément incontrôlable. L'avenir n'est pas écrit dans un grand livre, et aucune boule de cristal n'a jamais révélé les rendements futurs.

Faites attention aux gourous qui se prennent pour des prophètes et qui prétendent savoir ce que nous réserve l'avenir. Sont-ils capables de répondre à ces questions ?

- Quand surviendra la prochaine attaque terroriste ?
- Quelle sera la prochaine fraude d'envergure ?
- Quelle sera la prochaine guerre importante ?
- Quand et de combien les taux d'intérêt augmenteront-ils ?

Ces conseillers gourous avaient-ils prévu l'ampleur de la crise immobilière et financière ? Sans doute pas, sans quoi ils auraient retiré leurs placements du marché bien avant la débandade.

En juin 2009, le prix moyen des maisons aux États-Unis avait chuté de plus du tiers[45]. Une des raisons de cette crise est liée à la recherche de rendements trop élevés par des investisseurs qui oublient trop facilement que rendement élevé est synonyme de risque élevé.

Le rendement est une espérance, mais le risque est une certitude !

En pratique, ce que vous pouvez faire, c'est essayer de gérer les risques auxquels vous faites face tout en vous demandant si vous serez en mesure d'atteindre vos objectifs.

■ ÉTABLISSEZ D'ABORD VOS OBJECTIFS

Il ne faut pas confondre vos buts personnels avec ceux de vos placements. Vos objectifs personnels représentent l'utilisation que vous allez faire de votre argent. Vos objectifs de placements concernent ce que certains placements peuvent générer. Vous devez vous assurer qu'il y a concordance entre vos deux objectifs, sinon c'est le signe que le choix de vos véhicules de placement est inadéquat.

Une fois que vos objectifs sont bien établis, il est plus facile de choisir des placements qui seront adaptés à vos besoins. Si vous avez plusieurs objectifs, il est parfois nécessaire d'avoir plusieurs portefeuilles de placements ; par exemple, un portefeuille pour les études de vos enfants, un autre pour votre retraite, etc. Vos placements seront alors répartis par blocs.

Nadine et Claude désirent acheter un motorisé lorsqu'ils prendront leur retraite, dans cinq ans. Sur les conseils de leur courtier, ils ont séparé leurs placements en deux blocs. Le premier bloc est composé uniquement de placements sécuritaires qui viendront à échéance (seront disponibles sans perte de valeur) d'ici cinq ans. De cette façon, l'achat de leur motorisé ne sera pas compromis par la situation des marchés financiers. Le second bloc est composé d'un portefeuille diversifié de placements qui pourra leur procurer un revenu pendant les décennies que durera leur retraite. ▪

Autrement dit, ce ne sont pas les placements offerts qui devraient dicter la composition de votre portefeuille, mais les objectifs que vous poursuivez. Ces objectifs déterminent le moment où vous aurez besoin de votre argent.

Vous devriez avoir un portefeuille de placement par objectif important.

L'épargne est un moyen de réaliser vos objectifs. Elle permet d'acheter une propriété, de financer les études de vos enfants, d'équilibrer votre consommation pendant toute votre vie, de faire un don aux membres de votre famille ou à un organisme de charité et de vous payer des petits plaisirs.

L'horizon de temps avant l'utilisation de vos placements

Aucun véhicule ou type de placement n'est bon ou mauvais en soi. C'est son utilisation qui fait la différence.

Un compte chèques est le véhicule financier idéal si vous avez besoin de votre argent pour faire une transaction à très court terme. Par contre, les placements dans les comptes chèques sont dangereux si votre objectif est d'utiliser votre argent pour votre retraite. L'utilisation de véhicules de placements à court terme pour combler des objectifs à long terme est risquée puisque le rendement sera insuffisant.

Un portefeuille d'actions convient davantage pour un objectif à long terme comme planifier votre retraite. Les risques sont différents selon l'horizon d'analyse. Avec un portefeuille d'actions, à court terme, le risque de perte est prépondérant, tandis qu'à long terme, c'est le risque de survivre à son capital qui devient plus important.

Votre tolérance aux risques ou aux pertes

La tolérance aux risques est votre capacité financière et psychologique à pouvoir absorber une baisse de la valeur de votre portefeuille. Les professionnels du placement utilisent trop souvent le mot « risque » comme synonyme de « volatilité des rendements ». C'est une définition restreinte. Une compréhension plus étendue du terme englobe la probabilité que vous perdiez une partie ou la totalité de votre argent.

Lorsque vous choisissez vos placements, les institutions financières vous font remplir un questionnaire pour évaluer votre tolérance aux pertes. Ces questionnaires utilisent en général un pointage. Plus le pointage obtenu est élevé, plus le pourcentage en actions qu'on vous suggérera sera élevé. Ces questionnaires sont utiles pour entamer une conversation avec votre conseiller. Le résultat obtenu ne devrait être que le début d'un processus, il ne devrait pas être définitif. Lorsque vous répondez à ces questions, n'oubliez pas de traduire l'impact des pourcentages de baisse de marché en dollars.

Pierre, 50 ans, a établi son profil d'investisseur avec son courtier, Jacques. Selon ses réponses, le portefeuille recommandé prévoit des baisses potentielles de 10 % lors de corrections boursières. Pierre accepte les recommandations de Jacques sans vraiment en saisir les conséquences. Il investit 500 000 $. Quelques mois plus tard, il reçoit son relevé de placements, dont la valeur est maintenant de 450 000 $. Il appelle son courtier en panique parce qu'il vient de perdre 50 000 $. Jacques ne comprend pas la réaction de Pierre : une perte de 50 000 $ sur un portefeuille de 500 000 $ équivaut à 10 %, comme il devait s'y attendre. Et comme les marchés ont baissé de 15 %, il devrait se considérer chanceux.

Les deux parlent la même langue mais ne se comprennent pas. Jacques parle de risque en pourcentage, et Pierre parle de pertes en dollars.

Imaginez la réaction de Pierre si la baisse avait été de 15 % (75 000 $), de 20 % (100 000 $) ou de 25 % (125 000 $). ▪

Votre tolérance face au risque, ou plutôt votre tolérance face à la possibilité de perdre du capital, traduit en quelque sorte vos objectifs de gestion des risques, soit la perte maximale que vous êtes prêt à assumer. Il est préférable de sous-estimer votre tolérance aux pertes plutôt que de la surestimer. Si vous surestimez votre tolérance aux fluctuations de la valeur de vos avoirs, vous risquez d'être tenté de vendre une partie ou la totalité de vos actions lors d'une correction boursière. Ce sera alors le plus mauvais moment pour le faire. Les corrections, y compris les crises, sont des occasions d'achat, et non de vente.

Si vous ne pouvez pas supporter financièrement ou psychologiquement l'ampleur d'une perte potentielle occasionnée pour un type de placement donné, vous ne devriez pas choisir ce placement.

▪ PREMIER NIVEAU DE DIVERSIFICATION : LA RÉPARTITION DE VOS AVOIRS

Après avoir déterminé le but de votre épargne, votre tolérance face aux pertes potentielles et le temps que vous avez devant vous avant de devoir utiliser ce capital, vous devez maintenant déterminer votre politique de placement.

Le plan, la politique d'investissement ou la répartition stratégique

Bien avant de choisir les véhicules de placement qui composeront votre portefeuille, il est capital d'établir une stratégie ou une politique de placement. Cette politique vous donnera, à vous et à votre conseiller, des balises à respecter. C'est cette politique qui va prévoir le pourcentage de votre portefeuille qui sera attribué à chacune des catégories d'actifs. Par exemple, vous pourriez déterminer, après une analyse complète de votre dossier, que 40 % de la valeur de votre portefeuille sera dans des actions et que 60 % sera investi dans des titres à revenu fixe. Il est important de respecter cette politique, qui est votre plan de match. Si le marché boursier monte en flèche, la pondération de vos actions ne respectera plus la balise des 40 % que vous vous étiez fixée au départ; ce sera signe qu'il est temps de vendre! Respecter une politique de placement vous permettra d'encaisser vos profits et d'acheter des titres à meilleur prix dans la catégorie d'actifs qui se transige à aubaines. Cela vous permettra aussi de mettre vos émotions de côté et de gérer votre portefeuille de façon plus rationnelle. Le fait de surveiller ses actions et de les soumettre à sa politique s'appelle le « rééquilibrage ».

Patrice était très heureux en 1999, alors que le prix des actions de Nortel qu'il possédait en grande quantité ne faisait que monter. Il n'a pas voulu encaisser ses actions, croyant que leur prix allait sans cesse augmenter. Et puis, il ne voulait pas payer d'impôts sur le gain en capital réalisé par la vente de ses actions de Nortel. Il a laissé ses émotions et la fiscalité guider ses décisions. Aujourd'hui, il s'en mord les doigts! S'il avait suivi sa politique de placement et laissé ses émotions de côté, il aurait rééquilibré son portefeuille en vendant ses actions de Nortel, en encaissant ses profits et en payant les impôts exigibles sur la vente de ses actions. L'appât du gain lui a fait perdre beaucoup d'argent... ■

Rééquilibrer votre portefeuille vous protège

Pour que votre portefeuille corresponde continuellement à votre portefeuille de référence et à votre politique de placement, il est nécessaire de réajuster régulièrement sa composition. À la suite d'une fluctuation des marchés financiers, vous risquez de vous retrouver avec un portefeuille qui ne corresponde plus à votre tolérance aux pertes. La composante en actions est alors devenue soit plus élevée, soit plus basse que désiré.

Prenons à titre d'exemple un portefeuille « équilibré » de 100 000 $ composé à 50 % d'actions et à 50 % d'obligations. Si les actions obtiennent un rendement de 20 % alors que le rendement des obligations a été nul, le portefeuille est maintenant composé à 54,5 % en actions, soit 60 000 $ (50 000 $ plus 20 %) sur 110 000 $.

Pour revenir au portefeuille de référence « équilibré », il faut alors vendre 5 000 $ d'actions pour acheter des obligations. Le portefeuille sera donc composé de 55 000 $ en actions et de 55 000 $ en obligations. Vous aurez ainsi vendu après que les prix des actions auront monté.

Il faut aussi faire le contraire. Si les prix des actions ont diminué et que la pondération en actions de votre portefeuille est inférieure à celui de votre portefeuille de référence, vendez des obligations pour acheter des actions. Vous achèterez alors après une baisse de prix.

Il est conseillé de réviser la pondération de votre portefeuille une fois par an, voire davantage si les fluctuations des marchés sont importantes. Par exemple, vous pouvez rééquilibrer votre portefeuille chaque fois que la pondération des actions varie de 5 % par rapport

à sa cible. Pour un portefeuille de référence dit équilibré, vous achetez lorsque votre pondération en actions
baisse à 45 % et vendez chaque fois que votre pondération en actions atteint 55 %.

Une autre façon d'effectuer le rééquilibrage de votre
portefeuille est de permettre une déviation à la hausse
supérieure – par exemple 10 % comparativement à la
cible d'actions – et une déviation à la baisse – par exemple 5 %, parce que la valeur des actions a tendance à
augmenter davantage que celle des revenus fixes. À long
terme, un tel rééquilibrage asymétrique est plus perfor-
mant qu'un rééquilibrage symétrique.

Maintenant que votre politique de placement est établie
(la répartition stratégique), vous pouvez choisir judicieusement les différents types de placements qui composeront votre portefeuille (la répartition tactique).

À quoi servent les différents types de placements ?

Il existe sur le marché une panoplie de placements qui
sont regroupés dans quelques grandes catégories. À des
fins d'exemple, nous faisons un parallèle avec le hockey.

Le gardien de but
Dans cette catégorie, on retrouve les titres dits liquides,
soit les bons du Trésor, les dépôts à terme encaissables,
les fonds du marché monétaire, les obligations d'épargne, etc. Les placements de cette catégorie permettent
de toujours avoir accès à des liquidités pouvant vous
être nécessaires pour des achats importants ou lors
d'imprévus.

Les défenseurs
Dans cette catégorie, on retrouve les titres dits à revenu
fixe, soit les obligations négociables, les certificats de
placement venant à échéance dans plus d'un an, etc.
Ces placements procurent les revenus nécessaires aux

paiements que vous devrez faire à moyen terme, à une date prévue d'avance. Ils servent aussi à stabiliser la valeur de vos placements ou à empêcher votre portefeuille de trop baisser en période de turbulence financière.

Les attaquants

Dans cette catégorie, on retrouve les titres de croissance, dont les actions, qui sont utilisées pour leur potentiel de croissance à long terme. Les titres dans cette catégorie sont ceux qui devraient vous permettre de mieux manger à votre retraite, même si parfois leurs fluctuations perturbent votre sommeil. En théorie, toute la portion de vos placements ou de votre épargne que vous aurez besoin d'utiliser au cours des sept prochaines années ne devrait pas être investie en actions (dans des titres de croissance), mais plutôt dans des titres à revenu. Historiquement, les marchés des actions ont connu des rendements négatifs sur une période de sept ans, voire davantage. Pire encore, le marché des actions du Japon n'a pas encore retrouvé son sommet de la fin des années 1980, près de 30 ans après sa chute.

> **N'utilisez pas les actions si vous comptez utiliser votre capital d'ici sept ans : la probabilité de perdre une partie de votre capital est trop importante. L'utilisation d'actions pourrait alors compromettre l'atteinte de votre objectif. Mais ce n'est pas parce que vous allez prendre votre retraite d'ici quelques années ou que vous êtes déjà à la retraite que vous ne devez plus avoir des actions dans votre portefeuille.**

À la retraite, vous n'allez pas avoir besoin de l'ensemble de vos économies dès le premier jour. La partie de votre portefeuille que vous n'aurez pas besoin d'utiliser durant les dix premières années devrait idéalement être investie en actions, dans des titres de croissance. Bien entendu, ce choix de véhicule de placement dépend aussi de votre tolérance aux pertes.

Les joueurs talentueux mais surestimés...

Ce sont les titres immobiliers, qui ont des caractéristiques à la fois de revenu (loyer net) et de croissance (si l'immeuble peut être vendu à profit). Conséquemment, plusieurs considèrent l'immobilier comme un placement presque idéal (un joueur talentueux), ce qui contribue au fait que ce secteur connaît régulièrement des bulles spéculatives (surestimé). La demande est souvent trop forte et les prix augmentent trop rapidement par rapport aux revenus de location.

> **Non seulement vous ne devez pas mettre tous vos œufs dans le même panier (catégories d'actifs), mais vous devez également vous assurer que vos œufs ne proviennent pas tous de la même famille de poules (types de placements dans chacune des catégories).**

Pour un individu, l'achat d'un immeuble locatif ne diversifie pas ses avoirs. Au contraire, dans la plupart des cas, l'achat d'immobilier concentre les avoirs dans un seul secteur. Si vous détenez un million de dollars en actifs et que votre résidence personnelle vaut 250 000 $, 25 % de vos avoirs sont investis dans l'immobilier. L'achat d'un immeuble ne ferait qu'augmenter votre exposition à ce marché. Investir toutes vos économies dans l'immobilier n'est pas sans risques. Bien que les krachs immobiliers soient moins fréquents que les krachs boursiers, leurs conséquences sont généralement plus sévères et la reprise du marché, plus lente.

La diversification est un principe fondamental du placement.

Les batailleurs

Certains joueurs sont dangereux à la fois pour les autres équipes (ils blessent leurs adversaires) et pour leur propre équipe (ils récoltent de mauvaises punitions). Il en va de même pour certains types de placements, qui se retrouvent dans la catégorie des placements spéculatifs. Les commodités (pétrole, gaz, diamant, or, etc.) jouent ce rôle. Si parfois les gains qu'ils génèrent sont rapides, les risques de pertes sont énormes.

Méfiez-vous des oiseaux de malheur qui font mousser les avantages d'un produit de placements dont ils sont par hasard les promoteurs !

L'or en est un bel exemple. Au fil de l'histoire, la recherche de l'or a coûté la vie à bien des gens. L'or s'est transigé à 934 $[46] en 1980, à 315 $ en 1982, à 550 $ en 1983, à 252 $ en 1999, à 1 031 $ en 2008 et à 991 $ à l'automne 2009. Malgré ces montagnes russes, certains continuent à penser que l'or est un placement sécuritaire et défensif.

Plusieurs achètent de l'or pour se prémunir contre l'écroulement de l'ensemble du système financier. Espérons qu'ils prennent soin de cacher cet or dans un coffret de sécurité chez eux, et non dans une institution financière. De toute façon, si l'ensemble du système s'écroule, ce dont vous aurez alors besoin, ce ne sera pas des lingots d'or, mais plutôt une ferme pour pouvoir récolter vos légumes et élever votre bétail. Le poids des batailleurs ne devrait pas dépasser 5 % de l'ensemble de vos placements.

Exemples de portefeuilles de référence

Pour vous aider dans la répartition de votre actif, voici six exemples de portefeuilles composés selon leurs résultats historiques. Chacun de ces portefeuilles s'adresse à des types d'investisseurs différents. Bien entendu, le passé n'est pas garant de l'avenir. Ces exemples de portefeuilles selon le type d'investisseur particulier n'ont pour but que d'illustrer les risques et gains potentiels que vous encourez si vous les choisissez.

Les noms de ces portefeuilles varient selon les institutions financières, mais l'approche est la même. Par exemple, le portefeuille équilibré s'appelle ainsi parce qu'il accorde autant d'importance aux revenus qu'à la croissance. Toutefois, un fonds commun de placement[47] dit équilibré d'une institution financière peut contenir 40 % d'actions, alors que le fonds dit équilibré de l'institution concurrente peut en contenir 60 %. Les noms et la forme sont moins importants que la substance. Vérifiez toujours la composition des placements que l'on vous suggère.

L'investisseur conservateur

L'investisseur d'un portefeuille conservateur possède une faible tolérance à la volatilité. Il déteste que son capital baisse et il est surtout préoccupé par le revenu annuel. Son portefeuille de référence devrait être constitué de 70 % de titres à revenu fixe et de 30 % d'actions.

L'investisseur épargnant

L'investisseur épargnant accepte un certain niveau de volatilité de la valeur de son portefeuille en contrepartie d'un potentiel de croissance faible de son capital. Il évalue son rendement à court terme. Son portefeuille de référence est constitué de 60 % de titres à revenu fixe et de 40 % d'actions.

L'investisseur équilibré

L'investisseur équilibré accepte une volatilité moyenne de ses placements. Il recherche à la fois le revenu et la croissance de son capital. Il évalue le rendement de son portefeuille à moyen terme, soit sur des périodes allant de trois à cinq ans. Son portefeuille de référence est constitué de 50 % de titres à revenu fixe et de 50 % d'actions.

L'investisseur optimiste

L'optimiste accepte que la valeur de son portefeuille fluctue, dans le but d'obtenir à moyen terme un rendement supérieur à la moyenne. Son portefeuille de référence est constitué de 40 % de titres à revenu fixe et de 60 % d'actions.

L'investisseur audacieux

L'audacieux possède une tolérance au risque élevée. Sa priorité est la croissance de son capital à long terme. La valeur de son portefeuille varie beaucoup d'une année à l'autre. Son portefeuille de référence est constitué de 20 % de titres à revenu fixe et de 80 % d'actions.

L'investisseur téméraire

Le téméraire tolère le risque très élevé. La valeur à court terme de son portefeuille ne l'intéresse pas. Son portefeuille de référence est constitué exclusivement d'actions.

Les résultats historiques des portefeuilles types

Les rendements historiques et la volatilité de ces portefeuilles types ont été estimés à partir de ces hypothèses.

■ Les portefeuilles ont été constitués en décembre 1959 avec 1 000 $. Leur valeur finale a été estimée en décembre 2009.

■ Tous les 31 décembre, les portefeuilles ont été ramenés à leur répartition cible, soit au ratio initial d'actions et de titres à revenu fixe, pour ainsi respecter la tolérance aux pertes de chacun des investisseurs modèles.

■ La partie actions a été investie à 50 % en actions canadiennes et l'autre moitié en actions américaines. Les rendements obtenus correspondent à ceux de leur indice[48] incluant les dividendes.

■ La partie en revenus fixes a été investie à 90 % en obligations à long terme et à 10 % en bons du Trésor. Les rendements obtenus correspondent à celui de leurs indices respectifs.

■ Une part de 1 % des rendements a été soustraite pour tenir compte des frais de gestion. Historiquement, les frais ont été supérieurs, mais aujourd'hui il est possible de faire gérer son argent pour moins. Nous reviendrons sur ce sujet dans les prochaines sections.

Le tableau suivant résume les résultats qu'auraient eus ces six répartitions dans le passé. Mais n'oubliez pas que l'avenir va être différent : meilleur si vous êtes optimiste, pire si vous êtes pessimiste !

RENDEMENT HISTORIQUE DES SIX PORTEFEUILLES DE RÉFÉRENCE (APRÈS 1 % DE FRAIS)

	% en actions	Rendement historique	La meilleure année	La pire année	Valeur finale	Valeur finale en dollars de 1959
CONSERVATEUR	30 %	7,74 %	1982 32,01 %	1974 - 9,46 %	41 660 $	5 625 $
ÉPARGNANT	40 %	7,99 %	1982 29,62 %	1974 - 12,04 %	46 605 $	6 292 $
ÉQUILIBRÉ	50 %	8,20 %	1982 27,22 %	1974 - 14,63 %	51 524 $	6 957 $
OPTIMISTE	60 %	8,39 %	1985 27,60 %	1974 - 17,22 %	56 292 $	7 600 $
AUDACIEUX	80 %	8,70 %	1985 29,23 %	1974 - 22,39 %	64 825 $	8 753 $
TÉMÉRAIRE	100 %	8,90 %	1961 32,66 %	2008 - 28,74 %	71 074 $	9 596 $

Source : Institut canadien des actuaires

La dernière colonne est plus intéressante que l'avant-dernière, puisqu'elle compare des pommes avec des pommes, soit le pouvoir d'achat ou l'inflation. Il ne faut pas comparer un dollar de 1959 avec un dollar de 2009. Il faut environ 7,41 $ en 2009 pour acheter ce qu'il était possible d'acheter avec un dollar en 1959. Méfiez-vous des illustrations qui vous laissent miroiter que vous allez être millionnaire dans 50 ans. Avec l'inflation, vous serez peut-être pauvre.

> **La diversification de vos avoirs n'élimine pas le risque de perte, elle en diminue la probabilité. La diversification agit un peu comme un gicleur lors d'un incendie, qui n'empêche pas le feu de se produire, mais qui en diminue les conséquences.**

Comme vous pouvez le constater, plus la pondération en actions est élevée, plus la probabilité de perte augmente à court terme. Même un portefeuille dit conservateur a déjà connu une perte de 9,5 %. Aussitôt que vous investissez en actions, la valeur de votre portefeuille peut baisser. En contrepartie, plus votre portefeuille est composé de titres à revenu fixe, plus vous devrez épargner pour atteindre votre objectif. Pour obtenir le même pouvoir d'achat (en tenant compte de l'inflation), un conservateur aurait dû épargner 30 % de plus que l'optimiste, soit le rapport entre 7 029 $ et 5 406 $. Un épargnant, quant à lui, aurait dû épargner 17,8 % de plus que l'optimiste, soit le rapport entre 7 029 $ et 5 968 $.

Il est important de noter que les pertes et les gains illustrés dans ce tableau ont été calculés au 31 décembre de chaque année. Si les calculs avaient été effectués à la fin de n'importe quel mois plutôt que seulement au mois de décembre, les fluctuations auraient été encore plus importantes. À titre d'exemple, l'indice canadien des actions S&P/TSX a baissé de 39 % durant la période d'un an se terminant le 30 juin 1982. Entre son sommet de juin 2008 et son creux de février 2009, l'indice a baissé d'environ 48 %.

> **En pratique, vous devez rechercher un équilibre entre votre sommeil (plus de revenus et moins de pertes) et une bonne qualité de vie à la retraite (plus d'actions).**

La règle du pouce : 100 moins votre âge

Quand vient le temps de choisir le pourcentage d'actions qui convient à leur portefeuille, plusieurs personnes conseillent ou utilisent la règle du pouce suivante : vous devriez avoir en actions l'équivalent de 100 moins votre âge. Par exemple, si vous avez 55 ans, le pourcentage en actions de votre portefeuille de placements devrait être de 100 moins 55, soit 45 %.

Cette règle est basée sur le fait que, plus on vieillit, plus il est probable qu'on ait bientôt besoin d'encaisser une partie du portefeuille pour payer ses dépenses. Il est donc souhaitable d'augmenter graduellement la composante revenu de votre portefeuille et de réduire la portion actions. Selon cette règle, chaque année, vous devriez diminuer la pondération en actions de votre portefeuille de 1 %. Bien entendu, cette règle du pouce ne tient pas compte de l'ensemble de votre situation financière, ni de vos objectifs particuliers, ni de votre tolérance aux pertes. Elle signifie seulement qu'il est préférable de réduire la composante en actions de votre portefeuille à mesure que vous avancez en âge.

Les rendements espérés

Les exemples de portefeuilles de référence précédents illustrent le passé. Mais puisque personne ne connaît l'avenir, il est préférable d'être le plus réaliste possible lorsque vient le temps de faire des projections. Les taux d'intérêt ont été très élevés dans les années 1980 et au début des années 1990. Cela biaise donc à la hausse les rendements historiques des portefeuilles de référence qui contiennent beaucoup d'obligations, c'est-à-dire le conservateur, l'épargnant et l'équilibré. À titre d'information, en 2009, l'Institut québécois de planification financière (IQPF) recommande à ses membres d'utiliser les normes de projection suivantes lorsqu'ils font des projections à long terme ou lorsqu'ils comparent le rendement espéré de différents placements :

- inflation = 2,25 %
- revenu fixe = 4,75 %
- actions = 7,75 % pour un portefeuille composé de 50 % d'actions canadiennes et de 50 % d'actions étrangères.

Les rendements sont espérés, les risques sont certains.

Le tableau suivant illustre les rendements espérés avant et après frais des portefeuilles de référence que nous avons vus précédemment.

RENDEMENT ESPÉRÉ DE SIX PORTEFEUILLES DE RÉFÉRENCE

PORTEFEUILLE DE RÉFÉRENCE	% EN ACTIONS	SANS FRAIS	FRAIS DE		
			1 %	2 %	3 %
CONSERVATEUR	30 %	5,65 %	4,65 %	3,65 %	2,65 %
ÉPARGNANT	40 %	5,95 %	4,95 %	3,95 %	2,95 %
ÉQUILIBRÉ	50 %	6,25 %	5,25 %	4,25 %	3,25 %
OPTIMISTE	60 %	6,55 %	5,55 %	4,55 %	3,55 %
AUDACIEUX	80 %	7,15 %	6,15 %	5,15 %	4,15 %
TÉMÉRAIRE	100 %	7,75 %	6,75 %	5,75 %	4,75 %

Le rendement espéré varie beaucoup selon l'importance des frais prélevés dans votre portefeuille.

Le danger de la volatilité
des rendements à la retraite

Lorsque vous faites votre projection de retraite, faites
attention de calculer un rendement constant si votre
portefeuille contient des actions. Il se pourrait que votre
portefeuille s'épuise plus rapidement que prévu à cause
d'une seule mauvaise année.

En 2008, Céline, 65 ans, était très contente : elle prenait
sa retraite avec un REER de 1 000 000 $, composé à
50 % d'actions et à 50 % d'obligations. Comme ses
besoins de revenu (avant impôts) sont de 50 000 $
par an, elle pense que cela sera facile de maintenir
son niveau de vie sans toucher à son capital. Mais
Céline a oublié deux choses importantes : l'inflation et
la volatilité des marchés (baisse des marchés). L'inflation fera en sorte qu'elle devrait sortir de son REER
non pas 50 000 $ par année, mais 50 000 $ plus l'inflation. Si l'inflation est de 2,25 % par année et que le
rendement qu'elle obtient est de 5 % constant, comme
le démontre le tableau suivant, elle aura épuisé son
capital à l'âge de 95 ans. Ce qui risque peu d'être un
problème. La probabilité qu'elle soit encore en vie à
cet âge est d'environ 22 %.

ÂGE, SOLDE REER AVEC RENDEMENT CONSTANT

ÂGE	SOLDE REER	RENDEMENT	RETRAIT
65	1 000 000 $	50 000 $	50 000 $
66	1 000 000 $	50 000 $	51 125 $
67	998 875 $	49 944 $	52 275 $
68	996 543 $	49 827 $	53 452 $
69	992 919 $	49 646 $	54 654 $
Etc.	...	...	...
94	98 611 $	4 931 $	95 325 $
95	8 217 $	411 $	8 628 $

Malheureusement pour Céline, lorsqu'elle effectua son retrait de 50 000 $ à la fin de l'année 2008, la valeur de son compte avait baissé de 10 % (100 000 $) à la suite de la correction des marchés. Si par la suite elle obtient un rendement constant de 5 %, elle aura épuisé son capital à l'âge de 89 ans, comme le démontre le tableau suivant. La probabilité qu'elle soit encore en vie à cet âge est d'environ 62 %. Elle risque donc de survivre à son argent.

CONSÉQUENCES D'UNE ANNÉE NÉGATIVE
SUR LE SOLDE REER

ÂGE	SOLDE REER	RENDEMENT	RETRAIT
65	1 000 000 $	(100 000) $	50 000 $
66	850 000 $	42 500 $	51 125 $
67	841 375 $	42 069 $	52 275 $
68	831 168 $	41 558 $	53 452 $
69	819 275 $	40 964 $	54 654 $
Etc.	...	...	...
88	81 294 $	4 065 $	83 412 $
89	1 947 $	97 $	2 044 $

Céline espérait que son portefeuille revienne à 1 000 000 $ avec la reprise des marchés. Mais cela est presque impossible avec un portefeuille composé à 50 % seulement en actions. Il aurait fallu qu'elle obtienne un rendement de 23,7 % pour que son portefeuille revienne à 1 000 000 $, soit une hausse de 215 125 $ (150 000 $ plus le retrait de 51 125 $). ■

En pratique, Céline ne pourra pas obtenir un rendement constant de 5 %. Si une seule année négative enlève six ans de vie à son portefeuille, imaginez ce qu'une baisse tous les quatre ou cinq ans – ce qui est environ la norme avec le marché des actions – peut faire !

■ DEUXIÈME NIVEAU DE DIVERSIFICATION : L'ACHAT DES TITRES

Une fois le profil d'investisseur établi et les objectifs particuliers précisés, il est temps de choisir les titres particuliers qui composeront votre portefeuille. Pour faire votre choix de titres, vous ne devez pas tenir compte seulement de la catégorie d'actifs, mais aussi de la géographie et du secteur.

Les revenus fixes

Les titres à revenu fixe sont nombreux. Leur grande caractéristique est qu'ils procurent des revenus à des dates connues. Dans les titres à revenu fixe, il y a les certificats de placement garanti et les obligations. Généralement, les titres à revenu fixe sont garantis à leur échéance. Conséquemment, même si leur valeur fluctue en cours de route, le capital investi sera récupéré dans son entièreté.

Les fonds communs d'obligations ou certificats de placement

L'indice représentatif de l'ensemble des obligations canadiennes est l'indice obligataire universel DEX^MC. En janvier 2011, le rendement de cet indice était de 3,21 %. À moins de fluctuations importantes des taux d'intérêt, la moyenne des obligations, détenues par les fonds communs de placement (FCP) d'obligations canadiennes, obtiendront un rendement à peu près équivalent à cet indice. Mais il est important de considérer les frais de gestion. Par exemple, un fonds d'obligations qui a un ratio de frais de gestion (RFG) de 1,5 % aura un rendement espéré inférieur de 1,5 % à celui de l'indice.

La variation de la valeur des obligations et des fonds d'obligations est inversement proportionnelle à la variation des taux d'intérêt. Si les taux d'intérêt augmentent, la valeur des FCP obligataires ou des obligations baissera. Si vous avez une obligation de 1 000 $ qui procure des intérêts (soit un coupon) de 5 % et que les taux sont actuellement de 4 %, des gens seront prêts à vous l'acheter à prime, soit à une valeur plus élevée que sa valeur nominale de 1 000 $. À l'inverse, si les taux montent à 6 % et que vous voulez la vendre, personne ne voudra vous l'acheter à 1 000 $. Vous devrez alors accepter de la vendre à une valeur inférieure à sa valeur nominale ; nous disons alors que l'obligation se négocie à escompte.

Si les taux d'intérêt montent, la valeur des obligations baisse, et vice versa.

Plusieurs institutions financières offrent des certificats de placement garanti (CPG) qui garantissent des rendements similaires à l'indice DEX^{MC}. Un avantage psychologique des CPG est qu'ils ne fluctuent pas selon les taux d'intérêt, contrairement aux obligations ou aux fonds d'obligations. Actuellement, les certificats de placement garantis (CPG) offrent un rapport rendement/risque supérieur aux fonds d'obligations et à la partie revenu des fonds équilibrés.

Pierre dort mieux depuis que son portefeuille de placements ne contient que des obligations. De plus, l'économie se rétablit, ce qui a provoqué une hausse des taux d'intérêt de 1 %. Pierre pensait que cela allait favoriser son portefeuille d'obligations. Quelle ne fut pas sa surprise de constater en recevant son relevé que la valeur de ses placements avait baissé de 5 %. Il n'avait pas compris qu'une hausse des taux d'intérêt favorise les nouveaux acheteurs d'obligations, mais défavorise les détenteurs actuels. Pierre ne comprend plus rien :

tout ce qu'il achète lui fait perdre de l'argent! Pourtant, s'il conserve ses obligations jusqu'à leur échéance, il ne perdra pas un sou et continuera de recevoir ses revenus selon le taux de coupon de son obligation. ▪

La technique de la roue

Comme personne ne peut prévoir avec exactitude les fluctuations des taux d'intérêt, il est plus simple d'apparier vos objectifs avec vos placements. La technique de la roue consiste à diviser vos titres à revenu fixe en cinq tranches de CPG ou d'obligations. Ainsi, le premier cinquième de vos titres viendra à échéance dans un an, le deuxième dans deux ans, le troisième dans trois ans, et ainsi de suite. À leur échéance, vous pourrez toujours les renouveler pour cinq ans et ainsi bénéficier des taux d'intérêt les plus élevés que procurent généralement les échéances plus longues.

Cette méthode de la roue est souvent utilisée par les institutions financières telles que les caisses de retraite et les compagnies d'assurances. Ce type de gestion a pour but de coordonner l'échéance de vos placements avec vos besoins financiers à la retraite. Plus vous vous approchez de votre retraite, plus il est important de mettre en œuvre cette technique de la roue. Elle vous permet aussi d'éviter que vos placements viennent tous à échéance au moment où les taux d'intérêt sont bas.

Côté pratique, si un besoin imprévu survient, vous aurez toujours un cinquième de vos CPG qui viendront à échéance durant l'année pour combler ce besoin.

Les actions

Pour vos besoins à long terme, les actions et les fonds d'actions sont à privilégier parce qu'ils offrent un potentiel de croissance supérieur à l'inflation. Outre leur rendement potentiel, les actions et les fonds d'actions permettent aussi une diversification supplémentaire de votre portefeuille. Cette diversification doit cependant respecter certains principes de base concernant entre autres la géographie et le secteur.

Au minimum, 20 actions sont nécessaires pour avoir une bonne diversification. Aucune action ne devrait accaparer une part trop importante de votre portefeuille. Il est presque impossible de diversifier adéquatement un portefeuille d'actions canadiennes avec une somme inférieure à 100 000 $. Aucune action ne devrait représenter plus de 5 % de votre portefeuille d'actions. Il est dangereux de concentrer toutes vos économies vers un seul titre. Si la valeur de vos épargnes ne vous permet pas d'acheter au moins 20 titres, vous devriez opter pour un fonds d'actions.

La diversification internationale

Idéalement, vous devriez être en mesure de détenir une vingtaine d'actions canadiennes, une vingtaine d'actions américaines, une autre vingtaine d'actions européennes et une autre vingtaine d'actions asiatiques. Les fonds communs de placement (FCP) d'actions ou les fonds négociés en Bourse (FNB[49]) deviennent alors très utiles pour la diversification géographique.

La diversification par secteurs d'activité économique

Une action doit être choisie non seulement en fonction de son rendement potentiel, mais aussi en fonction de son apport à la diversification de votre portefeuille. Si vous êtes propriétaire d'une compagnie qui fabrique des parapluies, envisagez d'acheter une compagnie qui vend de la crème glacée et une autre qui vend des pelles à neige. Ainsi, quelle que soit la température, vous ferez des ventes. Il est très dangereux d'investir toutes vos économies dans un seul secteur. Cette concentration sectorielle augmente vos risques.

Ayant concentré l'ensemble de son portefeuille dans des titres technologiques, Patrice, 55 ans, était très heureux en 1999. Le prix de ses actions de Nortel, qu'il possédait en grande quantité, ne faisait que monter. Avec la valeur sans cesse croissante de son portefeuille, il a décidé de prendre sa retraite, de s'occuper lui-même de ses placements et de concentrer son portefeuille dans les titres technologiques. Il a donc congédié Paul, son courtier. De toute façon, Paul lui avait conseillé de vendre une partie de ses actions de Nortel, ce qui ne plaisait pas à Patrice. Aujourd'hui, les actions de Patrice ne valent plus rien, ou presque. Il a dû se résigner à retourner sur le marché du travail. ■

La diversification n'élimine pas le risque de perte

Bien que la diversification par catégories d'actifs, par zones géographiques et par secteurs d'activité vise à réduire les risques de perte, elle ne les élimine pas. Comme nous l'a rappelé le krach d'octobre 1987, celui d'août 1998, celui de septembre 2001 et celui de l'automne 2008, lors d'une crise importante, tous les marchés baissent en même temps. C'est un peu comme si le principe de la diversification ne fonctionnait pas au moment où nous en avons le plus besoin. Malgré tout, il est important de diversifier vos placements pour diminuer les risques. Il est toutefois impossible d'éliminer complètement le risque que toutes les actions baissent en même temps parce que tout le monde panique en même temps.

Se soumettre à la volatilité du prix (les pertes potentielles) des actions est le prix à payer pour leur potentiel de rendement supérieur à long terme.

Diversification ne signifie pas éparpillement

Si vous achetez plusieurs fonds de la même catégorie par l'entremise de plusieurs courtiers ou institutions financières, vous ne diversifiez pas vos placements, vous les éparpillez ! Si vous souhaitez vraiment diversifier votre portefeuille comme vous devriez le faire, vous devez acheter des titres dans d'autres catégories d'actifs, d'autres secteurs d'activité ou d'autres pays.

L'importance des frais

Outre les catégories d'actifs, les secteurs ou les régions, vous devriez vous attarder aux frais lors du choix d'un véhicule de placement. Si vous décidez de détenir des actions ou des obligations, vous devrez acquitter des frais de transaction. Si vous détenez plutôt des unités de fonds commun de placement, vous devrez payer des frais qui généralement sont prélevés directement par le fonds. Ces frais s'appellent un ratio de frais de gestion (RFG). Plusieurs des FCP qui sont offerts sur le marché comportent des ratios de frais de gestion (RFG) élevés. L'effet de ces RFG sur la valeur de vos placements est important à long terme. Cela pourrait vous obliger à épargner davantage ou vous contraindre à prendre votre retraite quelques années plus tard que prévu.

Vérifiez toujours les frais qui sont prélevés par les fonds que vous achetez. Des frais de 2 % correspondent à 2 000 $ par année pour un portefeuille de 100 000 $.

Le tableau suivant illustre l'impact du ratio de frais de gestion (RFG) sur un investissement de 10 000 $. Le rendement brut utilisé est celui qui est suggéré par l'IQPF pour les portefeuilles d'actions composés d'actions canadiennes et étrangères en quantités égales.

L'IMPACT DES FRAIS DE GESTION SUR UN PLACEMENT DE 10 000 $

Rendement brut	7,75 %	7,75 %	7,75 %	7,75 %	7,75 %	7,75 %
RFG	0 %	0,25 %	1 %	2 %	3 %	4 %
Rendement net	7,75 %	7,50 %	6,75 %	5,75 %	4,75 %	3,75 %
Valeur après 20 ans	44 499 $	42 479 $	36 928 $	30 592 $	25 298 $	20 882 $

Un investisseur qui paie des frais de gestion de 2 % plutôt que de 1 % aura accumulé 17 % de moins après 20 ans, soit 30 592 $ plutôt que 36 928 $. Son revenu de retraite sera donc inférieur de 17 %. S'il a payé des frais de 3 %, il aura accumulé 31 % de moins, soit 25 298 $ plutôt que 36 928 $. Avec 4 % de frais, c'est 43 % de moins en revenus de retraite. Malheureusement, il existe bel et bien des fonds qui prélèvent des frais de 4 %.

Il est très important de porter une attention particulière aux frais reliés à vos investissements. Dans certains cas, ces frais sont même supérieurs aux impôts que vous avez à payer sur le rendement de vos placements. En effet, avec 2 % de frais sur un rendement de 7,75 %, l'institution financière accapare environ 26 % des gains. Avec 3 % de frais, elle accapare presque 39 % (3 % divisé par 7,75 %), alors que le taux marginal d'imposition le plus élevé sur les gains en capital est de 24 %.

> Certaines institutions financières sont parfois plus gourmandes que nos gouvernements en ce qui concerne les frais de placement.

Les fonds indiciels

Les fonds indiciels sont un exemple de fonds à bon marché ! Ils copient un indice boursier, par exemple l'indice canadien des actions. Leurs frais sont plus bas que les frais des FCP en général, puisqu'il n'est nul besoin de payer des professionnels pour qu'ils essaient de battre le marché.

Les fonds indiciels sont offerts par plusieurs institutions financières. Les fonds négociés en Bourse (FNB) sont quant à eux offerts par des courtiers en valeurs mobilières ou des courtiers à escompte.

■ QUELS VÉHICULES DE PLACEMENT CHOISIR?

Choisir le placement idéal n'est pas de tout repos. Pourtant, une fois la répartition stratégique complétée (profil d'investisseur, horizon temporel, tolérance aux pertes, pourcentage alloué aux différentes catégories d'actifs), il faut passer au choix du véhicule par lequel vous achèterez vos placements. Il y a tellement de services de placement offerts qu'il est difficile de s'y retrouver. Pour vous aider à comprendre, faisons une analogie entre les services de placement et les moyens de transport que vous pouvez utiliser pour vous déplacer d'une ville à une autre.

Tous les véhicules ont pour but d'atteindre la même destination: votre retraite. Cependant, certains y arrivent vite, d'autres ont des accidents avant d'y arriver.

Le train
Un train nord-américain ne va pas très vite, et il ne dessert pas toutes les villes, mais le risque de déraillement est très faible. Les certificats de placement garanti sont similaires au train en ce sens. Étant offerts par les institutions financières, le risque de déraillement (faillite) est faible, mais les rendements aussi. Les CPG sont généralement offerts avec des échéances variant entre un mois et cinq ans.

L'autobus

L'autobus permet d'effectuer un voyage tout en se laissant conduire par un professionnel. Certains circuits d'autobus desservent seulement les grandes villes, d'autres servent à faire des voyages dans des régions éloignées. En placement, les fonds communs de placement (FCP) sont similaires aux autobus. Moyennant des frais de gestion, il est possible d'engager un gestionnaire professionnel qui va choisir les placements (les routes) pour l'ensemble des passagers et vous conduire à une destination commune. Comme pour les voyages en autobus, certains FCP sont plus sécuritaires que d'autres. Ceux qui n'achètent que des actions de grandes entreprises (voyages en ville) sont moins risqués que ceux qui achètent des actions de petites entreprises dans des régions éloignées (voyages sur des routes dangereuses). Les fonds négociés en Bourse sont des autobus aux tarifs moins élevés.

La limousine

La limousine est un peu comme l'autobus, à ceci près qu'elle est à nous seul. La destination peut être la même qu'avec l'autobus, mais le voyage peut être personnalisé selon vos goûts et votre situation personnelle. En placement, la gestion privée est l'équivalent de la limousine. Vous avez votre propre portefeuille de titres. Mais contrairement à la limousine que vous pouvez louer pour un soir, la gestion privée est une location à long terme. Vous devez posséder un portefeuille substantiel pour pouvoir vous payer ce service. La vraie gestion privée est généralement offerte seulement pour les portefeuilles de plus d'un million de dollars. Vous pourriez vous faire offrir un autobus maquillé en limousine. Ce sont les paniers de titres qui sont communs à plusieurs investisseurs, mais vendus séparément.

La Formule 1

La Formule 1 est une voiture très sophistiquée et performante. La vitesse qu'elle peut atteindre fait en sorte que seuls les conducteurs très expérimentés peuvent négocier les courbes sans danger. De plus, cette voiture nécessite des routes en excellente condition, sans trous, sans bosses et sans neige. En placement, les comptes de courtage à escompte ressemblent aux voitures de course. Ces comptes offrent la possibilité d'acheter et de vendre rapidement, et d'être grisé par l'adrénaline de la course (l'appât du gain dans un marché en hausse). Plus vous achetez et vendez, plus vous prenez des courbes à haute vitesse et augmentez le risque de dérapage. Peu d'entre nous peuvent se vanter d'avoir le talent de Michael Schumacher!

L'utilisation des comptes de courtage à escompte devrait être réservée à la diminution de vos coûts de transaction et surtout à l'achat de titres que vous détiendrez à long terme, tels que des obligations ou des fonds négociés en Bourse.

■ VOS PLACEMENTS SONT-ILS PROTÉGÉS?

Pour bien comprendre les risques auxquels vos placements sont associés, il faut les classer par titres de propriété (actions, immobiliers) ou titres de prêt (obligations, CPG, dépôts à terme, etc.).

L'assurance dépôts

Les dépôts en dollars canadiens que vous faites auprès d'institutions financières membres de l'assurance dépôts sont protégés jusqu'à concurrence de 100 000 $. Pour vérifier si une institution est membre, vous pouvez consulter le site Internet de la Société de l'assurance-dépôts du Canada[50] pour les institutions de compétence fédérale (banques) et le site de l'Autorité des marchés financiers[51] pour les institutions de compétence provinciale (caisses populaires et sociétés de fiducie).

La limite de 100 000 $ inclut les intérêts, et il faut que les dépôts soient de cinq ans ou moins. Les dépôts protégés par l'assurance dépôts comprennent également les comptes chèques et d'épargne.

Les épargnants bénéficient de protections séparées pour les comptes dont le propriétaire est une seule personne, plusieurs personnes ou une fiducie. Les REER, les FERR et les CELI bénéficient aussi de protections séparées si leur contenu est constitué de dépôts. Ils ne sont pas protégés si ce sont des fonds communs de placement. Par contre, les REEE ne bénéficient pas de protection distincte.

> Maryse a deux certificats de placement de 60 000 $ chacun à la Banque Intrépide : un dans son REER, l'autre dans son FERR. Si la Banque Intrépide venait à faire faillite, les placements de Maryse seraient entièrement protégés parce que l'assurance dépôts comptabilise séparément les placements REER et FERR.
>
> Ginette a des certificats de dépôts non enregistrés de 90 000 $ avec la Banque Intrépide. Elle a également 20 000 $ dans son compte d'épargne. Si la Banque Intrépide venait à faire faillite, les placements de Ginette seraient protégés jusqu'à concurrence de 100 000 $, puisque ce sont tous des placements non enregistrés à son nom ; Ginette possède donc une somme de 10 000 $ placée à la Banque Intrépide qui n'est pas protégée par la SADC. ■

Assuris

Une compagnie d'assurances n'étant pas une institution de dépôts, les placements que vous faites par son entremise ne sont pas protégés par l'assurance dépôts,

mais par Assuris. Cette société est financée par les
compagnies membres. Assuris assure le capital décès,
les valeurs de rachat, les rentes de retraite ou d'invalidité et les valeurs de capitalisation des contrats d'accumulation (épargne) offerts par les compagnies d'assurance de personnes. Pour consulter la liste complète des
protections offertes par Assuris, vous pouvez consulter
sont site Internet au <www.assuris.ca>.

Fonds communs de placement

Les fonds communs de placement ne sont pas protégés par l'assurance dépôts. Les titres détenus par ces
fonds le sont en fiducie. Ainsi, en théorie, la faillite du
gestionnaire ne devrait pas avoir d'impact sur la valeur
du fonds. Par contre, si un placement détenu par le fonds
baisse, la valeur de votre participation baisse aussi. Un
fonds d'actions (titres de propriété) est donc plus risqué
qu'un fonds d'obligations (titres de prêt).

■ LES FONDS DE TRAVAILLEURS

Les gouvernements encouragent l'achat d'actions des
fonds de travailleurs. Il existe actuellement deux de ces
fonds, le Fonds de solidarité (FTQ) et le FondAction
(CSN). Les gouvernements fédéral et du Québec accordent chacun un crédit d'impôt de 15 % sur les achats de
5 000 $ ou moins dans un fonds des travailleurs. Vous
pouvez donc obtenir une réduction d'impôts maximale
de 750 $ (15 % de 5 000 $) au Québec[52] et d'un autre 750 $
au fédéral. Bien que fiscalement avantageux, ces placements sont du capital de risque. Le tableau suivant illustre le rendement potentiel (en tenant compte des crédits
d'impôt) d'un placement non enregistré de 1 000 $ dans
un des fonds des travailleurs. Pour être conservateur,
les hypothèses de projection considèrent que la valeur

de la part du fonds sera la même dans 5, 10 ou 15 ans. Il a donc été supposé que le fonds ne produirait aucun rendement pendant la totalité de ces périodes.

FONDS DE TRAVAILLEURS

Cotisations à un fonds de travailleurs	1000 $
Crédits d'impôt fédéral et provincial	300 $
Coût net	700 $
Valeur de l'action après 5 ans	1000 $
Rendement sur 5 ans (1 000/700) - 1 =	42,9 %
Rendement annualisé sur 5 ans	7,39 %
Valeur de l'action après 10 ans	1000 $
Rendement sur 10 ans (1 000/700) - 1 =	42,9 %
Rendement annualisé sur 10 ans	3,63 %
Valeur de l'action après 15 ans	1000 $
Rendement sur 15 ans (1 000/700) - 1 =	42,9 %
Rendement annualisé sur 15 ans	2,41 %

Comme nous pouvons le constater, si la valeur des actions demeure la même, le rendement est très intéressant sur 5 ans, mais beaucoup moins sur 15 ans. Considérant les rendements potentiels et les contraintes de rachat, il est conseillé d'investir dans un fonds de travailleurs seulement lorsque vous êtes à quelques années de la retraite.

■ CONSTRUISEZ VOTRE PROPRE CAISSE DE RETRAITE

Environ 60 % des Québécois n'ont pas la chance d'avoir une rente d'un régime de retraite, mais ils peuvent en construire une eux-mêmes.

Pierre-Paul, le conjoint de Jocelyne, n'est pas inquiet des soubresauts des marchés financiers. Il a travaillé pour la Ville de Montréal et il reçoit une rente indexée de 50 000 $. Jocelyne l'envie de plus en plus, et ce, même si elle a accumulé un million de dollars dans son REER. ▪

Jocelyne pourrait construire sa propre rente de retraite en achetant une rente viagère. Voici les taux de rente viagère pure (sans période de garantie) qu'il était possible d'obtenir le 18 juin 2008[53] pour un montant REER de 100 000 $. Le taux de rente est le montant versé annuellement au rentier. Puisqu'une rente viagère s'interrompt au décès, les taux de rente pour les hommes sont supérieurs aux taux de rente pour les femmes, car ces dernières ont une plus grande espérance de vie. Dans une rente conjointe, les versements cessent lorsque les deux rentiers sont décédés, et non pas au décès d'un seul.

TAUX DE RENTE VIAGÈRE PURE

Garantie	65 ANS			70 ANS		
	Homme	Femme	Conjointe	Homme	Femme	Conjointe
Aucune	8 262 $	7 470 $	6 743 $	9 432 $	8 360 $	7 405 $
10 ans	7 898 $	7 310 $	6 704 $	8 712 $	8 033 $	7 405 $

Les taux des rentes viagères varient selon les taux d'intérêt à très long terme.

▪ CE QUE VOUS DEVEZ ET NE DEVEZ PAS DEMANDER À VOTRE CONSEILLER

Un conseiller ne peut pas vous garantir des rendements élevés sans risques. S'il le fait, changez de conseiller. Un conseiller peut vous aider à choisir les placements qui conviennent à votre situation mais, surtout, il peut vous aider à maîtriser vos émotions lors de corrections boursières et vous éviter de vendre vos placements au pire moment ; il peut aussi vous éviter d'acheter des placements à la mode qui ont déjà trop monté. Autrement dit, votre conseiller est là pour vous aider à respecter votre politique de placement, qui, elle, vise l'atteinte de vos objectifs.

POINTS À NE PAS OUBLIER

■ Rendement potentiel plus élevé est synonyme de risque élevé. Mais risque élevé n'est pas nécessairement synonyme de rendement élevé.

■ Choisissez vos placements en fonction de vos objectifs, et non pas vos objectifs en fonction des rendements potentiels de vos placements.

■ Évitez les placements à la mode, ils sont trop déjà trop chers.

■ Faites attention aux frais que vous payez.

■ Parfois, le meilleur placement est le remboursement de ses dettes.

■ À la retraite, envisagez, pour une partie de vos épargnes, l'achat d'une rente qui vous garantirait de pouvoir assumer au moins vos dépenses essentielles. Cela vous évitera bien des angoisses, et vous pourrez ainsi mieux profiter de la vie !

Chapitre 10

Méfiez-vous des imposteurs!

DENISE : Mon conseiller est extraordinaire ! Il s'occupe de tout. Je n'ai même plus à me soucier de faire mes déclarations de revenus. Il s'arrange lui-même avec le gouvernement. Il paie mon loyer à la résidence et s'occupe de mes placements. Je ne connais rien dans ce domaine, et les affaires d'argent, ça me stresse. En plus, il ne me facture pas de frais et me donne des rendements pas mal plus élevés que mon institution financière, avec laquelle j'ai fait affaire toute ma vie. Depuis que votre père est mort, j'ai le sentiment que ce conseiller a pris le relais pour s'occuper de mes finances. Je le vois souvent, il est très impliqué socialement et il fait partie de mon club de pétanque.

AMÉLIE (SA FILLE) : Maman, il gère ton argent comme si c'était le sien, tu as perdu le contrôle. Je n'ai pas confiance en lui. Il en fait trop pour toi, ce n'est pas normal. Merci de m'avoir parlé de tes finances, je vais t'aider. Rassemble tes documents et viens avec moi rencontrer un autre conseiller : il te donnera un deuxième avis.

———————————————

L'industrie des produits et services financiers représente annuellement près de 15 milliards dans le PIB du Québec. Environ 40 000 conseillers œuvrent dans le vaste monde de la finance, mais selon les dernières statistiques, ils sont moins de 0,1 % à perdre leur droit de pratiquer en raison de fraudes, d'erreurs ou d'omissions qui vont à l'encontre de leur code de déontologie ou des lois qui les encadrent[54].

Il est facile de vous fier au premier venu ou au conseiller de votre meilleur ami en vous disant que vous n'y comprenez rien et que les histoires d'argent ne vous intéressent pas. Mais il est de votre responsabilité de vérifier si les gens avec qui vous faites affaire sont compétents. Il est impératif de faire des choix éclairés et de sélectionner des professionnels compétents dans leur domaine d'expertise, et ce, dans tous les domaines. Des scandales nous l'ont prouvé.

■ LES RELATIONS DE CONFIANCE... AVEUGLE

Les histoires de scandales financiers qui font la manchette depuis quelques années confirment très certainement que les finances sont d'abord et avant tout une entreprise de relations ! Dès que la confiance est établie avec un conseiller, les économies de toute une vie lui sont confiées, bien souvent aveuglément, malheureusement.

En finances comme dans tout autre domaine, il est important de ne pas faire confiance aveuglément à son conseiller et de faire au moins un minimum d'efforts pour comprendre comment notre argent, si durement

gagné, est investi : nous est-il accessible en tout temps ?
À quel prix nos investissements sont-ils faits ? Avec qui
faisons-nous affaire ?

Le nombre toujours grandissant de produits financiers, les différents types d'institutions financières, l'appât du gain, la recherche du rendement miraculeux et
la volonté de ne pas payer d'impôts sont tous des motifs
émotionnels puissants qui, mêlés à la méconnaissance
et à la complexité du monde de la finance, portent les
investisseurs à faire confiance à tout individu qui a l'air
de s'y connaître. D'autres investisseurs choisiront de faire
affaire avec une firme ou une institution plutôt qu'avec
un particulier. Quoi qu'il en soit, qui sont ces professionnels de la finance (les conseillers, les courtiers, les
agents, les représentants, les planificateurs financiers),
pour qui travaillent-ils et que font-ils ?

■ UN CONSEILLER FINANCIER, ÇA N'EXISTE PAS !

Des types de conseillers et des titres professionnels, il
y en a tellement qu'il peut être difficile de s'y retrouver. Pourtant, il existe une réglementation qui empêche
l'utilisation de certains titres afin de protéger les rôles
et l'expertise des conseillers dans ce vaste monde. Le
titre le plus utilisé est sans l'ombre d'un doute celui de
« conseiller financier ». Pourtant, ce titre n'est pas valide
au Québec et personne n'a le droit de l'utiliser !

LES TITRES PROSCRITS PAR LA LOI

« Les titres suivants sont des titres similaires à celui de planificateur financier et ne peuvent être utilisés par quiconque :

1° planificateur financier agréé (P.F.A.) ;
2° planificateur financier certifié (P.F.C.) ;
3° conseiller financier agréé (C. Fin. A.) ;
4° consultant financier ;
5° coordonnateur financier ;
6° conseiller financier ;
7° consultant en finances personnelles ;
8° coordonnateur en finances personnelles ;
9° planificateur en finances personnelles ;
9.1° gestionnaire de patrimoine privé (GPP) ;

10° tout titre comprenant l'une des 5 expressions suivantes dont les mots qui composent chacun sont regroupés avec d'autres mots ou séparés par d'autres mots :

a) planificateur financier ;
b) planification financière ;
c) conseiller financier ;
d) consultant financier ;
e) coordonnateur financier. »

Source : Règlement sur les titres similaires à celui de planificateur financier,
Loi sur la distribution de produits et services financiers

Voici de façon générale les acteurs du monde de la finance qui sont soumis à de la formation obligatoire et continue.

« La mission de la Chambre de la sécurité financière s'actualise par un encadrement vigilant des pratiques et par l'amélioration continue des connaissances de ces professionnels[55]. »

Tomber à la retraite

Le représentant de courtier

Le représentant de courtier (anciennement appelé représentant en épargne collective) détient un permis de la Chambre de sécurité financière. Grâce à ce permis, il a le droit de vendre des fonds communs de placement, mais n'a pas le droit de transiger directement des actions ou des obligations. La grande majorité des représentants de courtier sont des employés d'institutions financières.

Le conseiller en sécurité financière

Le conseiller en sécurité financière travaille principalement pour le compte de compagnies d'assurance. Son permis lui est délivré par l'Autorité des marchés financiers. Ce type de conseiller a le droit de vendre de l'assurance vie, de l'assurance invalidité et les autres assurances appelées du vivant, comme l'assurance maladies graves ou l'assurance soins de longue durée. Pour vendre des assurances collectives, un permis supplémentaire est requis. Le conseiller en sécurité financière peut aussi vendre des fonds distincts, puisque ce sont des produits de rente d'accumulation. Par contre, il ne peut pas vendre des fonds communs de placement, ni transiger directement les actions et obligations, à moins qu'il détienne aussi les permis nécessaires.

Le courtier de plein exercice

Le courtier de plein exercice a quant à lui le droit de vendre des fonds communs de placement, des actions, des obligations, des fonds négociés en Bourse, des options, etc. Il doit avoir reçu une formation spécifique. Le courtier de plein exercice est normalement rattaché à un cabinet de courtage.

■ QUI SONT LES PLANIFICATEURS FINANCIERS ?

Sachez d'abord qu'au Québec, pour porter le titre de planificateur financier, il faut être diplômé de l'Institut québécois de la planification financière (IQPF). Seule la réussite de l'examen de l'IQPF permet à un conseiller de se dire planificateur financier et de porter les initiales « Pl. Fin. ».

Une fois l'examen réussi, le planificateur financier devra suivre de la formation obligatoire et continue dans des domaines précis de la finance et dans les délais prescrits afin de conserver son titre. À défaut de se conformer aux exigences de la formation obligatoire et continue, le planificateur financier pourrait perdre le droit de porter son titre et devrait à nouveau passer l'examen.

Personne ne peut se présenter comme offrant des services de planification financière à moins de posséder un permis de pratique auprès de l'AMF ou d'un ordre professionnel dont il est membre.

> **Ne confondez pas planificateur financier avec conseiller en placement. Ce ne sont pas tous les planificateurs financiers qui ont la formation et les permis requis pour offrir des produits de placement. Et tous les conseillers en placement ne sont pas des planificateurs financiers.**

Distinguez aussi planificateur financier et conseiller en sécurité financière. Ce ne sont pas tous les planificateurs financiers qui ont la formation et les permis requis pour offrir des produits d'assurance, et tous les représentants de courtier, les conseillers en sécurité financière et les courtiers en valeurs mobilières ne sont pas des planificateurs financiers. Pour vendre des produits financiers, le planificateur financier doit nécessairement détenir un autre permis, comme ceux qui sont décrits précédemment. Les planificateurs financiers qui offrent des services de planification financière sans vente de produits sont relativement rares dans l'industrie.

■ LE RÔLE DU PLANIFICATEUR FINANCIER

Le rôle du planificateur financier est de vous aider dans l'élaboration de votre planification financière en vous traçant un plan d'action stratégique entièrement adapté à vos besoins et en tenant compte de votre situation actuelle, de vos contraintes et de vos objectifs personnels. Il vous propose ensuite des stratégies et des mesures cohérentes et réalistes pour atteindre ces objectifs. Ce sont des guides précieux pour suivre de près l'évolution de votre patrimoine et prendre au moment voulu les bonnes décisions quant à sa gestion.

Compte tenu de l'étendue des domaines couverts par la planification financière, rencontrer un planificateur financier spécialisé dans tous les champs d'expertise est une mission impossible! Le planificateur financier est généralement spécialisé dans un ou deux des domaines de la planification financière, et il agit comme un généraliste dans les autres. Conséquemment, votre planificateur financier sera souvent amené à travailler avec un réseau de spécialistes afin de parfaire tous les aspects de votre planification et de mettre en place ses recommandations. Le planificateur financier est à la finance ce que l'omnipraticien est à la médecine.

William a rencontré son planificateur financier, qui lui a préparé sa planification successorale. Afin de modifier son testament et de le rendre conforme à ses intentions, William a été référé par son planificateur à un notaire, qui a rédigé l'acte après avoir pris connaissance de la planification successorale préparée par ce planificateur et après avoir rencontré le client (William) pour valider les informations contenues dans cette dernière. Le planificateur financier de William l'a aussi référé à un conseiller en sécurité financière, car son analyse démontrait un urgent besoin de protection d'assurance vie. ▪

▪ LES PLANIFICATEURS FINANCIERS À PLUSIEURS CHAPEAUX

Il n'est pas rare de rencontrer un planificateur financier qui soit aussi un fiscaliste, un actuaire, un notaire, un comptable, un représentant de courtier, un courtier en valeurs mobilières, un conseiller en sécurité financière... ou encore un spécialiste dans l'un des domaines d'expertise de la planification financière. Celui-ci pourra donc vous servir adéquatement dans cet autre champ de pratique, pour lequel il détient l'autorisation de pratiquer.

▪ LES CHAMPS DE PRATIQUE RECONNUS ET ENREGISTRÉS

Outre sa réputation, il est primordial de vérifier que votre conseiller est bel et bien inscrit dans les disciplines qu'il exerce auprès des autorités compétentes. Au Québec, l'autorité qui a le mandat de protéger le public est l'Autorité des marchés financiers (AMF).

L'Autorité des marchés financiers veille à la protection du consommateur en appliquant les lois et règlements encadrant le secteur financier québécois.

L'AMF met à la disposition du public un registre des conseillers et des firmes qu'elle encadre[56]. N'oubliez pas que des planificateurs financiers faisant partie d'un ordre professionnel pourraient ne pas figurer dans le registre de l'AMF puisqu'ils sont encadrés par leurs ordres professionnels. Ce registre permet de vérifier de nombreux renseignements sur les conseillers avec qui les épargnants font affaire.

Consulter ce registre vous permettra de vérifier non seulement les disciplines que votre conseiller est apte à pratiquer, mais aussi la firme au sein de laquelle il exerce ses activités.

■ LES IMPOSTEURS

Les imposteurs ne sévissent pas que dans le domaine financier, ils se retrouvent également dans le domaine de la thérapie. Pour vous aider à cheminer dans la préparation de votre retraite ou dans l'acceptation de celle-ci, vous pourriez devoir consulter des professionnels. Ces derniers se doivent d'être reconnus dans leur domaine d'expertise. Ne vous fiez pas uniquement à votre intuition, informez-vous adéquatement. Par ailleurs, les ordres professionnels reconnus veillent à la protection des clients en cas de manquement éthique. Notamment, vous pouvez vous référer à l'Ordre des psychologues du Québec[57] ou à l'Ordre des conseillers et conseillères d'orientation et des psychoéducateurs et psychoéducatrices du Québec. Les impacts d'un mauvais traitement sont plus subtils que les impacts financiers subis suivant un scandale financier, mais ces impacts psychologiques peuvent avoir un effet aussi dévastateur que le manque d'argent.

■ QUELQUES CONSEILS POUR VOUS PROTÉGER

■ Soyez informé et vigilant. Les médias parlent du monde de la finance. Si on annonce en manchette que la Bourse dégringole et que votre portefeuille continue de croître, demandez-vous pourquoi et consultez un autre conseiller, ne serait-ce que pour obtenir un deuxième avis.

■ Vérifiez l'inscription de votre conseiller et les disciplines dans lesquelles il détient des permis de pratique.

■ Vérifiez l'inscription des institutions que votre conseiller représente.

■ Si votre conseiller se prétend expert dans tous les domaines, FUYEZ! Un conseiller ne peut agir qu'à titre de chef d'orchestre, c'est-à-dire en vous référant à des professionnels qui s'occuperont de l'élément qui les concerne.

■ Fuyez les promesses de rendements élevés sans risque au lieu de croire que vous avez déniché le produit miraculeux.

■ Partez en courant et avisez l'Autorité des marchés financiers si on vous offre un rendement nettement supérieur à ceux qui sont offerts par les concurrents.

■ Pour être en mesure de comparer, il faut magasiner! Prenez le temps de vous informer des taux en vigueur.

■ Méfiez-vous de la publicité dont le principal argument est l'épargne fiscale. Si vous êtes victime de fraude, vous devrez généralement payer la facture fiscale, et dans bien des cas vous aurez également perdu votre capital!

■ Ne mettez pas tous vos œufs dans le même panier! Mais attention, ne confondez pas diversification et éparpillement. Faire affaire avec de multiples institutions financières ou conseillers, ce n'est pas de la diversification. À la longue, avoir votre argent éparpillé pourrait nuire à votre stratégie et vous coûter cher en frais.

■ Faites toujours vos chèques payables à la firme ou à l'institution financière en prenant soin de mentionner « pour dépôt seulement à mon compte X ». Ne faites jamais vos chèques payables au nom d'une firme non inscrite, et encore moins au nom de votre conseiller.

■ Au moindre doute, n'hésitez pas à demander une seconde opinion.

■ Parfois, prendre son temps fait épargner du temps et de l'argent.

■ Parlez-en. Si vous n'osez pas en parler, vous savez que vous prenez un grand risque. Mettez votre orgueil de côté et demandez des références, vérifiez les informations et assurez-vous de bien comprendre dans quoi vous investissez.

■ Profiter de votre temps libre pour en apprendre plus sur la finance par des recherches sur Internet ou par la lecture d'ouvrages et d'articles, par exemple.

Une saine gestion de vos finances personnelles est la clé pour atteindre l'autonomie financière, réaliser vos rêves et concrétiser vos projets.

Si votre conseiller a du savoir-faire, s'il s'intéresse à votre situation et prend soin de vous connaître en vous posant des questions avant de vous proposer des produits ou services, si votre conseiller suit une démarche rigoureuse le menant à des recommandations sur mesure, s'il est titulaire de titres professionnels, s'il est dûment inscrit auprès de l'AMF ou d'un ordre professionnel et qu'il suit rigoureusement le programme de formation continue qui lui est imposé, s'il travaille auprès d'une firme qui est aussi inscrite auprès des autorités compétentes, vous avez de bonnes chances de ne pas faire affaire avec un charlatan. Votre conseiller est sans doute un professionnel en qui vous pouvez avoir confiance, qui saura choisir les bons outils d'intervention ou les bons véhicules de placement pour répondre à vos besoins et vous aide à réaliser vos objectifs à la retraite.

Conclusion

En tant que futur retraité, vous n'avez d'autre choix que de planifier adéquatement la retraite, qui est une des périodes les plus importantes et longues de votre vie, si vous ne voulez pas seulement survivre aux différents changements qui vous seront imposés. Avoir une vision positive du futur, établir vos objectifs et faire le point sur votre situation actuelle vous aidera à cheminer vers la retraite sans y « tomber » ! Vous avez maintenant entre les mains un éventail d'outils et de conseils qui vous aideront à vous préparer à la retraite sur tous les plans. Indépendamment de la raison de votre départ à la retraite et de la façon dont vous quitterez votre emploi, il est important de vous y préparer autant financièrement que psychologiquement, deux aspects indissociables.

Ainsi, votre situation personnelle, familiale et financière, les lois fiscales en vigueur, le contexte économique, votre état de santé et votre moral feront de vous un retraité unique.

Le fait de bien vous entourer dans vos relations familiales, amicales et professionnelles et de vous impliquer à fond dans ce grand projet vous aidera à vivre en harmonie et à atteindre vos objectifs.

Nous espérons que le jumelage de nos champs de compétences respectifs aura contribué à votre compréhension du monde de la retraite. Évidemment, nous ne pouvions tout écrire, car le sujet est excessivement vaste. Nous nous sommes concentrés sur les besoins des gens qui sont à environ dix ans de leur retraite, mais les renseignements fournis pourront sûrement aider quiconque veut planifier sa retraite, et ce, peu importe son âge.

Après tout ce travail de planification, vous devrez vous pencher sur d'autres enjeux décisifs qui pourront teinter votre retraite. Par exemple, l'utilisation des actifs par des stratégies de décaissement et la poursuite de votre cheminement avec ses joies et ses deuils.

Lexique

Âgisme : Préjugé contre une personne ou un groupe qui inclut toutes les formes de discrimination, de ségrégation et de mépris fondés sur l'âge.

Assurance avec participation : La prime de ce type d'assurance est fixée en fonction de coûts futurs supérieurs à ceux qui ont été prévus par l'assureur et de revenus inférieurs à ceux qui ont été escomptés. Lorsque les résultats sont meilleurs que les prédictions des hypothèses utilisées pour déterminer la prime, une partie de l'écart favorable revient au titulaire du contrat d'assurance. Du point de vue fiscal, ces participations sont des remboursements de primes payées en trop, et non pas des dividendes.

Assurance collective : Assurance établie à l'intention d'un groupe de personnes, habituellement sans examen médical, donnant lieu à un contrat de base. Elle est souvent souscrite par un employeur pour son personnel. Chaque participant reçoit un certificat d'assurance.

Assurance décès ou mutilation par accident : Forme d'assurance prévoyant le paiement d'une somme en cas de décès accidentel, de perte de un ou plusieurs membres, ou encore de perte de la vue d'un œil ou des deux yeux à la suite d'un accident. Au Canada, moins de 5 % des décès sont de nature accidentelle.

Assurance invalidité : Forme d'assurance qui prévoit le paiement périodique d'indemnités à l'assuré s'il ne peut pas travailler à la suite d'une maladie ou d'un accident. Souvent appelée «assurance salaire».

Assurance maladies graves : Assurance prévoyant le versement d'une somme forfaitaire lors du diagnostic d'une maladie assurée par la police si l'assuré y survit au moins 30 jours.

Assurance sans participation : La prime de ce type d'assurance est fixée en fonction d'une estimation aussi juste que possible par l'assureur des revenus de placement et des coûts futurs, et comporte une marge pour les éventualités et les bénéfices. Lorsque les résultats sont meilleurs que prévu, l'assureur conserve la totalité de ceux-ci.

Assurance soins de longue durée : Assurance fournissant une protection en cas de perte d'autonomie résultant d'une maladie chronique, d'une invalidité ou d'une déficience cognitive comme la maladie d'Alzheimer.

Assurance vie entière : Assurance vie permanente dont le capital est versé au décès de l'assuré, quel que soit l'âge du défunt, et dont les primes peuvent être viagères ou temporaires.

Assurance vie temporaire : Formule d'assurance vie selon laquelle il y a paiement du capital assuré si le décès de l'assuré survient avant l'expiration d'une période déterminée, en incluant les périodes de renouvellement.

Assurance vie universelle : Assurance vie permanente dont les primes (moins les frais et taxes sur les primes) sont créditées à un compte d'où sont périodiquement déduites des sommes pour la protection d'assurance vie et autres frais, et auxquelles s'ajoute un revenu après frais. Normalement, le titulaire du contrat peut changer le montant (certaines limitations s'appliquent) et la fréquence des primes.

Assurance vie : Assurance prévoyant le paiement d'une somme au décès, accidentel ou non, de l'assuré.

Assurance voyage : Assurance qui permet de faire face à certaines dépenses imprévues occasionnées par des situations d'urgence à l'étranger : soins médicaux, services hospitaliers, annulation ou interruption de voyage, perte de bagages et autres frais assurés.

Autorité des marchés financiers (AMF) : L'organisme de réglementation du secteur financier québécois. Il protège le consommateur, fait appliquer la réglementation pertinente et surveille les marchés financiers.

Avance sur contrat : Avance consentie par l'assureur au souscripteur d'une police d'assurance vie et qui est garantie par la valeur de rachat de la police. Cette avance entraîne des frais d'intérêts.

Bénéficiaire : Personne qui recevra les sommes dues aux termes du contrat d'assurance au décès de l'assuré.

Capital assuré : Somme qui sera versée au décès de l'assuré. Ce capital est généralement inscrit à la première page de la police. Il n'inclut pas les sommes supplémentaires payables selon les clauses de la garantie en cas de décès accidentel ou les autres dispositions spéciales du contrat, ni les capitaux souscrits avec les participations touchées.

Compte d'épargne libre d'impôt (CELI) : Le CELI est un instrument d'épargne enregistré souple et d'usage général qui permet aux Canadiens de gagner un revenu de placement libre d'impôt afin de combler plus facilement leurs besoins d'épargne tout au long de leur vie.

Compte de retraite immobilisé (CRI) : Le CRI est un véhicule similaire au REER qui permet le transfert des sommes accumulées dans les régimes complémentaires de retraite (sous législation québécoise). Dans un CRI, les sommes accumulées sont exemptes d'impôt. À la différence d'un régime enregistré d'épargne-retraite (REER), l'argent d'un CRI est immobilisé, c'est-à-dire que, sauf exception, les sommes détenues dans un CRI ne peuvent être retirées. Elles doivent servir à procurer un revenu à la retraite par l'achat d'une rente viagère ou par le transfert des sommes dans un fonds de revenu viager. Les sommes déposées dans un CRI proviennent de régimes assujettis à la *Loi sur les régimes complémentaires de retraite* qui sont surveillés par la Régie des rentes du Québec (RRQ).

Coût de vie: Le coût de vie d'un individu correspond à l'ensemble de ses dépenses annuelles ou mensuelles.

Droits inutilisés: Report de sommes permises mais non cotisées au REER.

Facteur d'équivalence (FE): Pour les particuliers qui participent à un RPA ou à un RPDB, un facteur d'équivalence est déclaré chaque année à Revenu Canada, et ce FE réduit le montant que le particulier peut déduire l'année suivante à titre de cotisations versées à un REER.

Fonds communs de placement (FCP): Les FCP sont des portefeuilles appartenant à des sociétés d'investissement ou placés dans une fiducie qui recueillent des capitaux en vendant des parts ou des unités au grand public. Les gestionnaires placent ces produits dans des actifs financiers comme des actions, des obligations, des hypothèques, des options, des contrats à terme et des actifs du marché monétaire.

Fonds de revenu viager (FRV): Le FRV est le prolongement du CRI ou du REER immobilisé et provient donc des sommes accumulées dans les régimes complémentaires de retraite (aussi appelés «fonds de pension» ou «régimes de retraite»). Le FRV est un instrument qui sert à retirer un revenu de retraite (décaissement). À la différence d'un fonds enregistré de revenu de retraite (FERR), où seul un montant

minimal de retrait est établi, le FRV prévoit également un montant maximal de retrait annuel. Ainsi,
le montant qui peut être retiré annuellement doit se
situer entre ces montants minimal et maximal. Le
FRV dont les sommes proviennent du CRI est assujetti à la *Loi sur les régimes complémentaires de retraite*
et est surveillé par la RRQ. Le FRV dont les sommes
proviennent d'un REER immobilisé est assujetti à la
Loi de 1985 sur les normes de prestations de pension.

Fonds distinct: Un fonds distinct ressemble beaucoup à
un fonds commun de placement. Il est émis par une
compagnie d'assurances, et le titulaire du contrat en
détient des parts dans le cadre d'un contrat de rente
différée. Le mot « distinct » indique que ces placements sont séparés des actifs généraux de la compagnie d'assurances.

Fonds enregistré de revenu de retraite (FERR):
Un FERR est un véhicule souple qu'un particulier
peut utiliser pour convertir en un revenu de retraite
l'épargne qu'il a accumulée dans un régime enregistré d'épargne-retraite (REER) pendant les années
où il travaillait.

Indexation: L'indexation représente la révision d'un
prix, d'un salaire, d'une rente, etc., en fonction des
variations d'une grandeur économique, d'un indice
pris comme référence. L'indexation est souvent repré-
sentée par une formule liée à l'inflation, par exemple, 100 % de l'inflation ou 50 % de l'inflation.

Indice des prix à la consommation (IPC): L'IPC est
un indicateur de la variation des prix à la consommation que connaissent les Canadiens. Pour l'établir,
on compare au fil du temps le coût d'un panier fixe
de produits achetés par les consommateurs.

Inflation: L'inflation est la hausse du niveau général
des prix. Elle est généralement évaluée au moyen de
l'indice des prix à la consommation (IPC).

Invalidité : État physique ou mental qui rend l'assuré incapable de remplir une ou plusieurs tâches inhérentes à son travail. La définition d'invalidité varie selon les contrats d'assurance.

Maximum déductible au titre des REER : Le maximum déductible au titre des REER représente les cotisations que vous pouvez verser à un REER et que vous pouvez déduire de votre revenu dans votre déclaration fiscale. Ce montant figure sur l'état du maximum déductible au titre des REER sur votre plus récent avis de cotisation fédéral.

Maximum déductible au titre des REER : Montant permis de cotisation au REER pour l'année en cours incluant les droits de cotisation de l'année et les droits inutilisés.

Maximum des gains admissibles (MGA) : Limite supérieure au-delà de laquelle les gains de travail d'une personne pour une année donnée ne sont pas assujettis à des cotisations au Régime de rentes du Québec. Le MGA d'une année est égal au MGA de l'année précédente multiplié par le rapport entre les moyennes de rémunération hebdomadaire moyenne au Canada établies pour les deux dernières périodes de 12 mois se terminant le 30 juin.

Participation : Somme tirée des bénéfices d'une société d'assurances et versée annuellement au titulaire d'un contrat, et qui est fonction de l'écart entre des frais réels et frais prévus de l'assureur. Les participations ne sont pas garanties et dépendent de la mortalité et de la morbidité, des revenus de placement, des dépenses et de divers autres facteurs.

Pension de la Sécurité de la vieillesse (PSV) : La Pension de la Sécurité de la vieillesse est une prestation mensuelle accordée à la plupart des Canadiens âgés d'au moins 65 ans. Vous devez faire une demande pour recevoir cette prestation.

Preneur: Personne qui a souscrit un contrat d'assurance. En assurance vie, le preneur est souvent l'assuré, mais ce n'est pas toujours le cas.

Prime: Somme versée périodiquement ou en une seule fois par le payeur à l'assureur en échange de la prise en charge d'un risque.

Prix de base rajusté (PBR): Le prix de base rajusté est le coût d'achat ajusté de certains frais admissibles.

Produit de disposition: Juste valeur marchande au moment de la disposition, ou prix de vente.

Régie des rentes du Québec (RRQ): La Régie des rentes du Québec est un organisme public qui régit le Régime de rentes du Québec et s'assure que l'administration et le fonctionnement des régimes de retraite sous sa juridiction sont conformes à la *Loi sur les régimes complémentaires de retraite.*

Régime de participation différée aux bénéfices (RPDB): Le RPDB est un régime selon lequel l'employeur verse des cotisations en fonction de ses bénéfices. Seul un employeur peut cotiser à un RPDB, et sa cotisation est établie en fonction des bénéfices de l'entreprise.

Régime de pension agréé (RPA): Un régime de pension agréé, mieux connu sous le nom de «fonds de pension de l'employeur», est un contrat en vertu duquel un employeur et ses employés s'engagent à effectuer des versements périodiques dans un fonds destiné à fournir un revenu de retraite. Le montant du revenu versé après la retraite dépend d'un certain nombre de facteurs: le type de régime, le nombre d'années d'emploi, le montant des cotisations effectuées et le rendement des placements. Il existe deux grands types de RPA, soit les régimes de retraite à cotisations déterminées et les régimes de retraite à prestations déterminées.

Régime de rentes du Québec (RRQ): Le Régime de rentes du Québec est un régime d'assurance public et obligatoire. Il offre aux personnes qui travaillent ou qui ont déjà travaillé au Québec ainsi qu'à leurs proches, une protection financière de base lors de la retraite, du décès ou en cas d'invalidité.

Régime de retraite à cotisations déterminées: Régime de retraite dont le montant des cotisations des employés et de l'employeur est connu d'avance. La rente future sera fonction des sommes accumulées au compte du participant.

Régime de retraite à prestations déterminées: Régime de retraite dont le montant de la rente est déterminé d'avance. La rente est souvent calculée sur la base du salaire du participant et de ses années de participation au régime.

Régime de retraite individuel (RRI): Régime de retraite à prestations déterminées mis en place pour un actionnaire ou un employé clé d'une compagnie.

Régime de retraite simplifié (RRS): Régime de retraite à cotisations déterminées mis sur pied par l'employeur et administré par un établissement financier autorisé.

Régime enregistré d'épargne-études (REEE): Un régime enregistré d'épargne-études (REEE) est mis en place pour financer les études d'un bénéficiaire. Le souscripteur (ou une personne pour le compte de celui-ci) verse des cotisations au REEE qui produisent un revenu. Le souscripteur nomme un ou plusieurs bénéficiaires et convient de verser des cotisations au REEE en leur nom.

Régime enregistré d'épargne-retraite (REER): Un REER est un régime que vous avez établi, qui est enregistré, et auquel vous ou votre conjoint cotisez. Les cotisations déductibles à un REER peuvent être utilisées pour réduire votre revenu imposable. Tout revenu accumulé dans le régime est exempt d'impôt pendant le temps où les fonds demeurent dans le régime. Toutefois, vous devez généralement payer de l'impôt lorsque vous encaissez ou recevez des montants du régime.

Régime enregistré d'épargne-retraite immobilisé (REER immobilisé): Le REER immobilisé est un véhicule similaire au CRI qui permet le transfert des sommes accumulées dans les régimes de retraite (sous législation fédérale). Dans un REER immobilisé, le revenu accumulé est exempt d'impôt. Pour faire des retraits, le REER immobilisé doit être préalablement transféré dans un FRV. Les sommes déposées dans un REER immobilisé proviennent de régimes assujettis à la Loi de 1985 sur les normes de prestations de pension.

Rente viagère: Rente versée régulièrement jusqu'au décès du rentier. Certains contrats garantissent le service de la rente pendant un certain nombre d'années (5 ans, 10 ans, par exemple), que le rentier soit vivant ou non.

Rente: Prestation versée à intervalles réguliers (souvent mensuellement) pendant une période déterminée (rente certaine ou rente d'invalidité) ou jusqu'au décès (rente viagère) du rentier. Le service de la rente peut commencer dès la souscription du contrat ou être reporté (rente différée) à une date ultérieure.

Rentier: Personne à qui une rente est servie.

Société d'assurances: Entreprise dûment autorisée à vendre de l'assurance au public et qui s'engage, conformément au contrat d'assurance, à verser des prestations en cas de sinistre.

Supplément de revenu garanti: Le supplément de revenu garanti assure un revenu additionnel aux personnes âgées à faible revenu vivant au Canada. Le SRG s'ajoute à la Pension de la Sécurité de la vieillesse. Pour avoir droit au SRG, vous devez recevoir la Pension de la Sécurité de la vieillesse et satisfaire à certaines exigences.

Taux effectif: Taux d'imposition que vous payez sur l'ensemble de vos revenus.

Taux marginal: Taux d'imposition qui s'applique à chaque dollar additionnel de revenu gagné.

Taux prescrit: Taux d'intérêt décrété par revenu Canada à chaque trimestre.

Titulaire: C'est la personne physique (individu) ou morale (compagnie) qui est propriétaire du contrat. Il est devenu titulaire du contrat soit parce qu'il a été le preneur du contrat, soit parce qu'il a acquis la propriété du contrat ultérieurement.

Valeur de rachat: Somme payable au comptant si le souscripteur décide de résilier sa police d'assurance.

Notes

1. Le 17 juillet 2007, Statistique Canada diffusait les données du Recensement de 2006 portant sur l'âge et le sexe. Une analyse détaillée de l'évolution de la structure de la population du pays par âge est présentée dans le rapport en ligne intitulé *Portrait de la population canadienne en 2006, selon l'âge et le sexe, Recensement de 2006*.

2. Fédération canadienne de l'entreprise indépendante et Emploi-Québec.

3. *Idem.*

4. *Briller parmi les meilleurs – La vision et les priorités d'actions du gouvernement,* Forum des générations, octobre 2004.

5. RRQ, Étude Transition travail-retraite, mars 2008.

6. Statistique Canada, *L'Emploi et le revenu en perspective,* vol. 5, n° 1, janvier 2004.

7. Le taux des paiements de la Sécurité de la vieillesse est mis à jour trimestriellement. Visitez le <http://www.servicecanada.gc.ca/fra/psr/sv/svtaux.shtml>.

8. Visitez le <http://www.servicecanada.gc.ca/fra/psr/sv/svtaux.shtml> pour connaître le seuil de récupération, qui change annuellement.

9. Visitez le <http://www.servicecanada.gc.ca/fra/psr/pub/sv/srgprincipale.shtml> pour plus de détails.

10. Visitez le <www.rrq.gouv.qc.ca> pour connaître le MGA en vigueur.

11. Le MGA est le maximum des gains admissibles, ce qui correspond au salaire maximal sur lequel la cotisation de la RRQ est prélevée. Dans le cas du RREGOP, on utilise la moyenne des cinq derniers MGA, ce qui correspond à 44 840 $ ou (47 200 $ + 46 300 $ + 44 900 $ + 43 700 $ + 42 100 $) ÷ 5.

12. Moyenne des cinq derniers MGA, ce qui correspond à (47 200 + 46 300 + 44 900 $ + 43 700 $ + 42 100 $) ÷ 5.

13. Statistique Canada, *Le Quotidien,* 22 février et 5 novembre 2008. Étude Placements dans les REER.

14. La médiane est le point qui divise les cotisants en deux groupes. Ici, la moitié a déclaré plus de 2 780 $ et l'autre moitié, moins.

15. Seules les pensions alimentaires imposables peuvent être considérées dans le revenu gagné. Les pensions alimentaires non imposables versées aux enfants sont exclues.

16. Âge en vigueur depuis 2007.

17. Soit jusqu'au 1er mars ; attention aux années bisextiles !

18. Âge actuellement en vigueur, mais qui pourrait être modifié par les autorités fiscales.

19. Voir le chapitre 9 pour plus de détails sur les fonds communs de placement.

20. Normalement, de 60 à 90 % de la valeur de la résidence servira à garantir un emprunt représentant de 10 à 40 % de la valeur actuelle de la résidence.

21. RRQ, *Évolution de l'épargne au Québec de 1999 à 2005,* mars 2009.

22. Lorrayne, A. *The Canadian Press*, 26 octobre 2005.

23. Statistique Canada, *Tendances sociales canadiennes*, automne 2005.

24. InterSources, consultants en psychologie du travail.

25. L'Université de Sherbrooke offre depuis 1976 une formation continue d'activités pédagogiques à l'Université du troisième âge (UTA), par exemple.

26. *Affaires Plus*, septembre 2009.

27. Le formulaire fédéral RC-65 ou la déclaration de revenus.

28. Statut souvent appelé la séparation de corps.

29. Montant de 127 021 $ en 2010; il change annuellement.

30. Il existe des particularités fiscales pour les dons entre conjoints.

31. Le taux prescrit est décrété par Revenu Canada chaque trimestre.

32. En 2010, les pensionnés dont le revenu personnel net est supérieur à 66 733 $ doivent rembourser une partie ou l'intégralité du montant maximum prévu pour la Pension de la Sécurité de la vieillesse. Les sommes à rembourser sont normalement déduites de leurs prestations mensuelles avant qu'elles ne soient émises. L'intégralité de la PSV est récupérée lorsque le revenu net du pensionné est de 108 214 $ au plus. Les augmentations des taux des prestations de la sécurité de la vieillesse sont calculées quatre fois par année à partir de l'indice des prix à la consommation (IPC) – indice d'ensemble. Elles entrent en vigueur en janvier, en avril, en juillet et en octobre. Ces augmentations sont prescrites par la *Loi sur la sécurité de la vieillesse* pour que les prestations soient indexées au coût de la vie.

33. Avec comme limite 50 % des revenus admissibles au fractionnement.

34. RRQ, *Le Revenu des personnes retraitées au Québec,* mars 2006.

35. Statistique Canada, *L'Emploi et le revenu en perspective,* septembre 2005.

36. Analyse actuarielle du Régime de rentes du Québec 2003.

37. *Briller parmi les meilleurs – La vision et les priorités d'actions du gouvernement,* Forum des générations, octobre 2004.

38. Fonds d'investissement qui encouragent l'économie québécoise et pour lesquels un crédit d'impôt pour les particuliers est octroyé. Exemple : FondAction, FSTQ.

39. Pour plus de détails à ce sujet, veuillez consulter un juriste.

40. Voir l'article 211.1 (1) de la Loi de l'impôt sur le revenu.

41. «Au moyen d'une analyse complexe, on peut démontrer que le taux d'imposition effectif sur le taux de rendement

interne implicite dans l'assurance vie exonérée (compte tenu des divers impôts et taxes payés par les assureurs vie) est du même ordre que le taux d'imposition moyen des particuliers au Canada.»

42. Voir entre autres <www.kanetix.ca>.

43. Voici 3 articles tirés du Règlement d'application de la Loi sur les assurances (©Éditeur officiel du Québec):

«62. Tout contrat d'assurance collective sur la vie doit donner à l'adhérent qui cesse de faire partie du groupe avant l'âge de 65 ans la faculté de transformer en tout ou en partie sa protection d'assurance sur la vie ou, le cas échéant, celle de sa famille et des personnes à sa charge, en une assurance individuelle sur la vie.

Le montant d'assurance sur la vie de l'adhérent qui peut être transformé doit être d'au moins 10 000 $ et ne peut excéder le moindre du montant de l'ensemble des protections d'assurance sur la vie qu'il détenait en vertu du contrat à la date de la transformation ou 400 000 $.

De plus, le montant d'assurance sur la vie qui peut être transformé doit être d'au moins 5 000 $ pour chacun des membres de sa famille et pour chacune des personnes à sa charge, sans excéder le montant d'assurance sur la vie de ces personnes à la date de la transformation.

Cette faculté peut être exercée par l'adhérent dans les 31 jours de son départ du groupe, sans avoir à justifier de son assurabilité ni, le cas échéant, de celle de sa famille et des personnes à sa charge. La protection offerte par le contrat d'assurance collective demeure en vigueur durant ce délai ou, le cas échéant, jusqu'au jour de sa transformation en une assurance individuelle.

La faculté de transformation ne s'applique pas à une assurance contre la maladie ou les accidents qui est accessoire au contrat d'assurance sur la vie.

«63. L'assureur doit offrir à l'adhérent qui quitte le groupe, sans qu'il ait à justifier de son assurabilité, le choix entre:

1° une assurance individuelle sur la vie, temporaire ou permanente, au gré de l'assuré, comportant une protection comparable à celle offerte par le contrat d'assurance collective, tant pour le montant que pour la durée;

2° une assurance individuelle sur la vie d'une durée d'un an, comportant une protection comparable à celle offerte par le contrat d'assurance collective, mais transformable à la fin de l'année, au gré de l'assuré, en une assurance visée au paragraphe 1.

La prime de la première année de l'assurance visée au paragraphe 1 du premier alinéa ne doit pas être supérieure à celle d'une assurance temporaire d'un an.

« 64. Les primes de tout contrat d'assurance individuelle sur la vie découlant d'une transformation doivent être uniformes pendant la durée du contrat, sauf celles de la première année. Elles sont établies selon l'âge et le sexe de l'assuré conformément au tarif prévu pour les risques habituels, applicable au moment de la transformation.

Toutefois, l'assureur peut appliquer à un adhérent assujetti à une surprime avant la transformation de son assurance collective une majoration de prime comparable pour son assurance individuelle. »

44. Voir au <www.ramq.gouv.qc.ca>.

45. Indice S&P3Shiller Case Home Price.

46. Les prix de l'or sont exprimés en dollars américains.

47. Un fonds commun de placement est un portefeuille de placement qui est géré par un professionnel. Le mot « commun » est lié au fait que le fonds regroupe les placements de plusieurs investisseurs et que leurs avoirs sont gérés en commun plutôt qu'individuellement.

48. Un indice est un indicateur de la composition et de la performance d'un marché financier, par exemple, les obligations canadiennes, les actions canadiennes, les actions américaines, etc.

49. Un fonds négocié en Bourse ressemble à un FCP, mais il se négocie directement à une Bourse (Toronto, New York, etc.), d'où son nom. L'avantage des FNB est que leurs frais de gestion sont nettement moins élevés que ceux des FCP.

50. Voir au <www.sadc.ca>.

51. Voir au <www.lautorite.qc.ca>.

52. Ce crédit a été bonifié temporairement en 2009.

53. Source : Cannex.

54. Source : conseiller.ca.

55. Source : Chambre de la sécurité financière.

56. L'implantation de la Réforme de l'inscription en valeurs mobilières a débuté à l'automne 2009. Le projet de réforme auquel donne effet le projet de Règlement 31-103 sur les obligations d'inscription vise à harmoniser, à rationaliser et à moderniser ce régime dans l'ensemble du Canada. L'objectif du Règlement 31-103 est de créer un régime souple qui permette de réaliser des économies administratives et de réduire le fardeau réglementaire des personnes inscrites.

57. En juin 2009, le gouvernement du Québec a adopté une nouvelle loi qui vient mettre fin à l'ambiguïté qui régnait dans le secteur de la psychothérapie : *Loi modifiant le Code des professions et d'autres mesures législatives dans le domaine de la santé mentale et des relations humaines.* Lorsque cette loi sera en vigueur, toute personne autre que les médecins et les psychologues voulant pratiquer la psychothérapie devra obtenir un permis délivré par l'Ordre des psychologues du Québec.

Index

Cet ouvrage a été composé en Adobe Caslon Pro 11/14,4
et achevé d'imprimer en janvier 2011 sur les presses de
Marquis Imprimeur, Québec, Canada.

Imprimé sur du papier 100 % postconsommation,
traité sans chlore, accrédité Éco-Logo et fait à partir de biogaz.

certifié   procédé   100 % post-   archives   énergie
            sans chlore   consommation   permanentes   biogaz